JAPANESE WOMEN JEWELERS

Brand Jewelry 特別編集

日本の女性ジュエラー
20の表現

Contents

P4　　イントロダクション

日本らしさの表現

P8　　 稗原 かおる（ギメル）

P14　 髙橋 まき子（MAKIKO TAKAHASHI COLLECTION）

P18　 久保 富子（クィーンコーラル）

P24　 永坂 景子（Kデザイン）

P30　 今井 訓子（IMAI kuniko KYOTO）

西洋のエッセンスが光る

P36　 芋縄 由佳（ロータスコレクション）

P42　 能勢 利枝（ジャルダン プランタニエ）

P46　 大林 智子（TJコレクション）

P50　 脇島 明希奈（アプレ）

P54　 だん すみよ（Pura）

自己表現のかたち

P60　 吹田 眞輝江（S.MAKIE）

P66　 島田 節子（BIZ）

P70　 中嶋 彩乃（AYA-N）

P74　 川添 微（honoka kawazoe）

P78　 山本 実紀（KALMIA）

作りにエネルギーを注ぐ

P84	首藤 彩・首藤 いずみ (SHUDO)
P88	石井 稚子 (WAKAKO GRACE)
P92	五味 和代

企業の中で輝く才能

P98	KASHIKEY 小寺 智子
P104	MIKIMOTO 高野 曜子 豊田 美佐子 吉崎 佐知江

宝飾史の中の女性

P114	女性ジュエラーの時代が来た 文・山口 遼

ジュエリーの詳細を読み解く

P120	小寺 智子 / だん すみよ / 石井 稚子 / 中嶋 彩乃 / 山本 実紀 / 五味 和代 / 川添 微 / 島田節子 / 穭原 かおる / 吹田 眞輝江 / 髙橋 まき子 / 今井 訓子 / 久保 富子 / 永坂 景子 / 大林 智子 / 能勢 利枝 / 脇島 明希奈 / 芋縄 由佳 / 首藤 彩 /
P126	取材協力・お問い合わせ
P127	この本を監修して思うこと 山口 遼
P128	奥付

Introduction

　雑誌や書籍の編集を通して、ジュエリーの業界というものに深く関わるにつれて、ある一種の違和感を感じるようになりました。女性が身につけるものなのに、なぜ女性のオピニオンリーダーがいないのだろう。フェミニズムといった思想など持っているわけではありませんが、単純に、業界における女性の存在感の薄さを不思議に感じたのです。かつて雑誌の取材でファッションを追いかけていたことがありますが、ファッションは20世紀初頭から既にマドレーヌ・ヴィオネ、ココ・シャネル、ジャンヌ・ランバンなど女性が活躍し、そして1960年代以降、日本から森英恵、川久保玲が世界に飛び出し、東京を中心に、欧米とは異なる日本独自のファッションやカルチャーの浸透に貢献したことは周知の通りです。一方、ジュエリーでは、特にダイヤモンドや真珠の世界に踏み込むほど、男性を中心に回っていることが分かってきました。これは日本だけでなく、海外でも同じようなものです。宝飾史を繙けば、本書の後半、監修の山口遼氏の文書でも表されているように、作り手も身につける人も男性だったことが明らかです。しかし、21世紀の今日では違和感を感じる状況です。

　そんなことを思いつつ取材しながら、数年前、毎年通っているイタリアのジュエリーショーで、ある変化に気づきました。ジュエリーメーカーやジュエリーの団体に女性のトップが増えていることでした。この流れは当然で遅すぎるくらいです。改めて日本で周囲を見渡すと、趣味や作品ではなく、収益を考えながら本腰でジュエリーを制作し、起業する女性が増えていることが分かってきました。デザインするばかりでなく、危険と言われる採掘場まで出向く女性もいます。これなら、女性のジュエラー

（デザイナー、クラフトウーマン、宝飾企業の代表など）だけの本が作れるのでは、と思いました。

　出版にあたり誌面は限りがありますので、いくつかの規定を設け取り上げる方を選びました。第一がアクセサリーではなくファインジュエリーを作っている人。ファインジュエリーとは流行にとらわれず、時間が経過しても残り続けるだろうと推測できるジュエリーのことです。第二に、商品として売るためのジュエリーを制作している人。どんなに素晴らしい作品を作っていても、販売しない作家は候補からはずしました。第三に、独自性が見える作品を作っている人。この第三を決めるのが最も難しく、山口氏にアドバイスをいただきました。そしてできるだけ、手法やデザインの傾向が似ていない方を選びました。

　掲載できなかった方も含め、大勢の女性のジュエラーにお会いして、ジュエリーに関わっている女性達のジュエリーに対する情熱や思いを知ることができたのが、この企画で得た一番の収穫です。一人一人が自分で考え、切り開き、新しいジュエリーを創りだそうと切磋琢磨されていて、良い刺激を受けました。

　人口減少、節約志向、価値観の変化など、さまざま影響により嘆きばかりが聞こえてくる日本のジュエリーマーケットですが、女性の起用しだいで、また新しい展開を期待できるのではないかと思います。本書を通じて、日本の女性ジュエラーの強い精神性、創造性、仕事力を汲み取っていただければ、編集者の冥利に尽きます。

ジュエリーエディター　渡辺 郁子

日本らしさの表現

穐原 かおる
Akihara Kaoru

兵庫県生まれ。青山学院大学経済学部中退後、1972年渡米。宝石デザイン、宝石学を学び、74年宝石の輸入販売会社ギモー商事を設立。84年ジュエリーの制作を始め、91年第2回国際宝飾展で「ギメル」としてブランドデビュー。2000年から10年間、スイスのバーゼルフェアに出展。2000年11月Sotheby'sジュネーブで行われた、"AU COURANT（時代の流れ、潮流、の意）"と題した未来のアンティークを先取りするオークションで、世界から厳選された11人のデザイナーの一人として注目される。03年芦屋市奥池町に本社屋建設、移転。17年松坂屋美術館にて「Four Seasons of Gimel―ギメル 美の軌跡 "神は細部に宿る"」を開催。9日間で5,500人超の入場者を記録。18年4月GINZA SIXのアートギャリー Artglorieuxにて企画展が開催される。

─────── 山口遼・Recommendation ───────

　現代の日本でトップの女性ジュエラーを挙げるとすれば、ギメルを主宰する穐原さんだろう。芦屋の山のてっぺんに広大なスタジオを構え、世界に通用するジュエリーを送り出している。その経歴は別の項目に書くが、彼女が作り出すジュエリーについて、触れてみたい。

　ギメルの作品は、日本人の、それも女性ならではのジュエリーである。基本的には自然の文物をデザインのテーマとしており、抽象のものは少ない。その自然のテーマを、極めて上質の宝石だけを使い、最高の製造技術を使って、この上なくデリケートな作品にしたもの、それがギメルのジュエリーだ。

　特に使う宝石の質へのこだわり、そのほとんどは穐原さん自身が選ぶというこだわりは業界でも有名であり、多くの宝石業者を泣かせている。

　作りの中心はパヴェと呼ばれる小さな宝石を密集させて埋め込むもので、この技術は最近では世界中の宝石商が使っているものだが、ギメルのジュエリーほど、繊細かつ精密なものは少ない。ほかの国のデザイナーが作るパヴェのジュエリーは、大柄で鬼面人を驚かすというものが多いが、日本人が好む繊細さはない。この辺りが日本人の、しかも女性ならではのギメルのジュエリーの特徴だろう。

　ジュエリーの評価には、二つの面がある。一つは言うまでもなく、今売れるかということであり、もう一つは後世に伝えられるものであるか、つまり50年、100年経ってもアンティークとして扱えるかということだ。

　穐原さんのジュエリーは、この二つの評価で見た時に、十分に耐えられる日本では数少ない作品である。素晴らしい女性ジュエラー、それが穐原さんでありギメルの作品である。

ブローチ「桜」Pt・ダイヤモンド・ピンクダイヤ
モンド・デマントイドガーネット。

ネックレス「ループネックレス」Pt・デマントイドガーネット・ダイヤモンド。ブローチ「すずらん」Pt・18KYG・デマントイドガーネット・ダイヤモンド・イエローダイヤモンド・ルビー。

パールネックレス Pt・白蝶無核真珠・ダイヤモンド。ブローチ「コスモス」Pt・18KYG・ピンクダイヤモンド・パール・デマントイドガーネット・ダイヤモンド・サファイア。

穐原 かおる
Style File Interview

地球環境が刻々と変化していく中、将来の子どもたちに燃えるような紅葉や鮮やかな新緑の色を伝えたい、太陽の瑞々しい光を浴びてキラキラと輝くジュエリーを作りたいと願うようになりました。

日々の暮らしや旅先の何気ない風景や自然から着想を得ることが多いです。自然界の柔らかな色合いを表現するために、上質な素材は必須です。西洋のジュエリーをコピーするのではなく、宝石という主役を引き立たせるために西洋の技法を用いて、東洋のエッセンスを取り入れています。精密さを得意とする日本の職人気質で日本の美しい四季を表現し、デザインには、身の回りの植物や生きものを取り込んでいます。

「人として誠実であれ、感受性を磨き、優しく豊かな人であれ」これはギメルの社是です。

1984年に設立したアトリエは一からのスタートでした。まず当時、日本国内ではジュエリーにしろ、アパレルにしろ、海外ブランドのほうがはるかに信用がありましたので、100年計画という目標を立てました。つまり、私たちのブランドが認められるのに100年はかかるだろうと。物作りにおいて大切にしているのは、素材の質と、技術です。質においては、最上質のものしか使いません。技術においては、ギメルでは創立当初から、宝石を大小使って隙間なく石を敷きつめる「パヴェ・セッティング」という技術を基本にしています。アール・デコの時代に由来する石留の技法です。六角形のハニカム状に地金を抜き、残った地金を盛り上げて爪を作り、石を留める。地金を抜くことでより軽く、ハニカム構造にすることでより強くなる。最小限の地金で最大限に石を生かす技術です。

見た方が「素敵ね」と思って身につけたくなる美しいもの、そして身につけると馴染んで、心から楽しめるものを作りたかったのです。楽しい時、寂しく辛い時、そのすべての場面でギメルのジュエリーをつけている方の心に添えるよう材料を吟味し、仕上げを丁寧に、易きに流れないようできる限りの努力をしています。そのため、たくさんの数のジュエリーを創り出すことはできません。

制作はデザインから始まり、石選びや配置、セッティング、といろいろな工程がありますが、デザインを形にする作り手はほとんどが男性です。しかも若い人が多いので、こちらの思いを伝えるのはなかなか難しい。「環境と食が人を育てる」と信じているので、2003年に思い切って芦屋の中心部から六甲山の標高500mの山の中にアトリエを移しました。豊かな自然の中で、職人一人一人に季節の移り変わりを肌で感じ、植物や自然をもっと身近に観察して欲しかったからです。そして、社員全員の食事を作る料理人を雇い、毎日全員が旬の食材を中心とした食事を一緒に頂いています。その効果は予想以上で、今では毎日のように、今日はこんな花が咲いていたとか、ワイルドベリーが採れた、鳥の鳴き声が上達した、といった会話が聞かれるようになり、意識の変化を感じます。

ジュエリーは財産として捉えるだけでなく、むしろ毎日身につけて楽しむもの。ジュエリーは心を豊かにしてくれます。ですから、ストーリーのあるジュエリーをこれからも創り続けていきたいと思っています。

右／「蜻蛉」ブローチ、ピンズ、ピアス　中央／「朝顔」ブローチ　左／「紅葉」ブローチ兼ペンダント　紅葉、蜻蛉、葉のディテールを、ダイヤモンド、エメラルド、ルビー、サファイア、ガーネットを用いてパヴェ・セッティングで表現している。

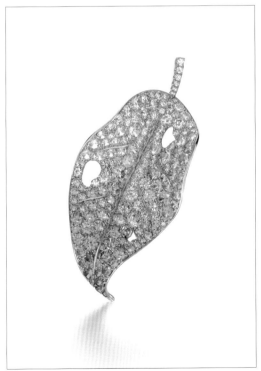

虫喰い葉っぱのブローチや葉っぱの裏側に這う青虫のモチーフは、ギメルの象徴的な作品。

髙橋 まき子
Takahasi Makiko

武蔵野美術短期大学卒、企業のデザイン室チーフを経て独立。1975年〜90年にかけて絹、漆など東洋的素材の作品を発表し、数回のデビアスダイヤモンド・インターナショナル賞を受賞。日本はもとより世界的評価を得る。88年ダイヤモンド・インターナショナル・アカデミー会員となり、フランス、ベルギーなど海外各国から展覧会の招待出展を受ける。国内ではダイヤモンドデザインコンテスト審査員、デビアスコレクションデザイナーとなり、プラチナ・ギルド・インターナショナルのテレビ雑誌広告キャンペーン商品のデザイン、教育なども手掛ける。現在は企業のジュエリーブランドの立ち上げ、企画デザイン、ユーザー向け展示会など多角的に活動。

山口遼・Recommendation

　この本に髙橋さんも参加されると聞いて、思わず、え、と言ってしまった。というのは、私の知る限り、髙橋さんと言えば、一昔前に名前を知られたデザイナーだったからだ。

　その昔、1970年代から80年代のこと、世界のダイヤモンド市場は日本の動向で左右されるという時代があった。なんとも良き時代である。この頃、デビアス社は世界的なダイヤモンドのプロモーションのために、大規模なデザインコンテストを実施していた。ダイヤモンド・インターナショナル賞である。この賞に、一番多く入賞したのが日本人のデザイナーであり、髙橋さんはその一人、しかも3回入賞した人だけがもらえるアカデミー会員であった。コンテスト

が行われていたのは70年頃から90年くらいのことだ。私が、彼女の名前を聞いて、え、と言ったのも分かるだろう。

　しかし今回、彼女のジュエリーを見て、仕事が長続きするのも当然と感じた。練れているのだ。写真を見てもらいたい。デザインコンテストに入賞していた頃の日本を生かしたギラリとした感覚が抜け、白、黒、さらに淡い色合いを生かした、無駄をそぎ落とした、シンプルなジュエリーが中心となっている。これなら最初の入選以来、40年近くの間、買ってもらえる、それでいて個性のあるジュエリーを作り続けることができる。己を変えながら、個性を出し続けた作家として、高く評価できるだろう。

「MY LITTLE GARDEN」右から／麦モチーフの
ブローチ K18YG・オニキス・ダイヤモンド。秋
の実りある風景を切り取った瑞々しいデザイン
と、縦約 15cm の美しいプロポーションが特徴。
シダのイヤリング、ブローチ K18YG・ダイヤモン
ド。風に揺れているようなしなやかさが見られる。

髙橋 まき子
Style File Interview

父が画家だったこともあり、小さい頃から美しい色彩や造形に興味を持っていました。ジュエリーデザイナーを目指したのは、ヨーロッパのジュエリーデザイナーの展覧会がきっかけです。そこで見たジュエリーが小さな彫刻のようで、ワクワクし、アートの香りのするものを身につけられたら素敵だなと、感じました。実際にジュエリーデザイナーになってみて、そんな造形をデザインできるこの職業を選んでよかったと、思っています。

初めてのジュエリーは、小学生の頃、クリスマスに両親からプレゼントされたブローチです。枕元に小さな箱が置いてあり、夜中に起き出して、その箱を開いて見たら、中に楕円形のブローチが入っていました。イタリア製の色とりどりのビーズが敷き詰められたもので、その色彩や美しさにドキドキ。当然高価な宝石ではありませんでしたが、それが私の最初のジュエリーだと思っています。今でも宝物です。

制作におけるこだわりは、日常における「ときめき」と「感動」をデザインに込め、日々つけていただける汎用性のあるジュエリーを作ることです。時代の風を感じながらも長く身につけられるアート感のある造形。その造形がつけてくださる方の個性を引き出せたら最高です。例えば、爪も石を留める機能のみに使うのではなく、その造形の一部としてデザインします。時には、高価な宝石を強調するのではなく、その造形を見せるのにどんな石を選ぶのがふさわしいのか、デザインを優先して考えます。基本は「無駄を削ぎ落とし、シンプルに、さまざまな素材の価値を最大限に生かす」を念頭においてデザインしています。身につけてくださる方が、つけるたびにワクワクし、人生を豊かにする知性あるジュエリー、そんなジュエリーを作り続けたいと願っています。

イメージはすべてのものから受けた「感動」から湧きあがります。特に草花、四季の移り変わりが織り成す豊かな自然の恵み、寺院の窓から見える切り取られた枯山水の庭、あるいは近代建築やモダンな工業製品など、あらゆるものがインスピレーションの源です。旅行では寺院や美術館を巡るのが好きで、仏像や仏教にも興味があります。旅先で目にしたものが、デザインに変わります。

例えば、「MY LITTLE GARDEN」は、昆虫や植物をテーマにしていますが、華やかな花というより葉や実など一見地味に見えるものの中の美しさにフォーカスしています。ただの写実ではなく、色や形の美しさを再解釈し、シンプルモダンに表現しています。「PEARL＋」では、磨き上げた艶のあるオニキスにアコヤパールをランダムにセットし、さらにダイヤモンドで華やかさを表現しました。現代の女性は自立し行動的ですが、そんな彼女たちに提案したいジュエリーです。オーソドックスなイメージを持つパールにアグレッシブなニュアンスを加味できたと思います。「ダイヤモンド＋オニキス」は、大好きな組み合わせです。ブルー系の宝石、アクアマリンやサファイアも好きです。カットはスクエアバフトップなど、カチッとした中に柔らかさのあるカットが、私のデザインコンセプトにフィットします。

A-4

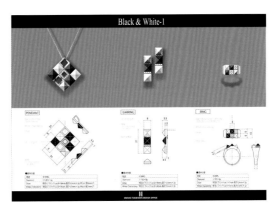

Black & White-1

「PEARL+」上から／ブレスレット、リング、イヤリング、ブローチ すべ
て K18WG・オニキス・アコヤ真珠・ダイヤモンド。徹底的に磨いたオ
ニキスにランダムにパールをセッティングし、現代のポジティブに活動
する女性に向けたパールジュエリーをイメージした。パールはわずかに
動く仕掛け。デザイン画はクラフトマンが作業しやすいように細部まで
緻密に設計されている。

久保 富子
Kubo Tomiko

株式会社クィーンコーラル 代表取締役 主婦業から一念発起し1984年、高知のホテルのアーケードに珊瑚のジュエリー専門店を開業。以降、九州の百貨店を皮切りに、全国の有名百貨店で販売を開始する。2017年、オフィスの移転に伴い、ショールームをオープン。

────────── 山口遼・Recommendation ──────────

　珊瑚という宝石は、もともとが日本で多く採れることから、日本人には真珠と並んで最も身近な宝石だ。しかし、身近にあるということは、粗末に扱うということでもある。近年までの日本での珊瑚のジュエリーは、珠を並べただけのネックレスか数珠、仏様などの彫り物が中心の土産物であった。

　こうした流れに敢然と立ち向かったのが高知でクィーンコーラルを主宰する久保さんだ。彼女は珊瑚の卸業者の家に嫁いだが、1984年に自分の会社を起業した。その後、お嬢さん3人をもうけながら、小売に挑戦を続ける。

　彼女は言う。珊瑚を土産物からジュエリーにしたい、宝石箱に入れてもらえる珊瑚のジュエリーを作り、売りたいと。昨年、高知に100坪程のショールームを作りながら、百貨店を中心に販売網を広げ、自ら販売のために店頭に立つことも厭わないという、根っからの珊瑚好きである。

　珊瑚のジュエリーの場合、問題は素材よりもデザインと作りにある。彼女は、毎年珊瑚に合うパーツなどを求めてイタリアに行く。そして珊瑚の先進国であるイタリアのデザインなどを吸収し、これまでの旧態依然たる珊瑚製品から離れたジュエリー作りに挑戦し続けている。

　私見ではあるが、珊瑚では日本一だろう。これからも女性の感覚を生かした新しい珊瑚のジュエリーが生まれることを期待したい。

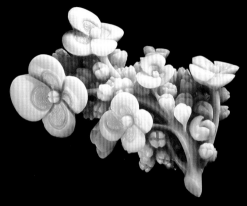

職人に、花の匂いが香り立つような生き生きとした花びらになるように一つ一つ依頼し、出来上がった花のモチーフ。上から／すべてブローチ、帯留めにもなる珊瑚の細工。白サンゴ、スカッチサンゴ、桃色サンゴ。

久保さんがお気に入りのバラのリング　K18YG・
Pt・シナ海サンゴ・ダイヤモンド。エンドウ豆の
ブローチ K18YG・姫サンゴ・シナ海サンゴ・ダイ
ヤモンド。

クィーンコーラルが力を入れている希少なピンク
色の珊瑚のジュエリー。ネックレス K18YG・
K18WG・エンゼルスキン。リング上から／Pt・
K18YG・エンゼルスキン・ダイヤモンド。K18PG・
姫サンゴ・ダイヤモンド。K18WG・姫サンゴ・
ダイヤモンド。

久保 富子
Style File Interview

　1974年、珊瑚御業を行う家に嫁ぎました。その頃の日本の珊瑚は、品質が本当に素晴らしく、国内のみならず外国の方にも高く評価されていました。

　私は普通の主婦で、子育てで忙しかったのですが、ある時、知り合いから高知のホテルに出店しないかという話をいただきました。夫は猛反対だったのですが、自分でデザインした珊瑚のジュエリーを販売したかったので、反対を押し切って店を開業しました。それがこの仕事を始めるきっかけです。

　84年に起業し、法人名をクィーンコーラルとしました。娘が3人いますが、小さかった頃は、仕事と子育てに奮闘しました。土産物だった珊瑚を、ジュエリーにしたい、という強い思いが、大変な時期を乗り越えさせてくれたのだと思います。どうしても宝石箱に入れてもらえるジュエリーを作りたかったのです。

　何よりお客様との会話を大切にしています。百貨店の展示会にも立ちます。今でこそ宝飾品部門で販売していますが、駆け出しの頃は、今ではありえませんが、地下1階の物産展で販売していたんです。珊瑚は、他の海の幸と同じように捉えられていたんですね。でもお客様に目を留めていただき売れました。私は、絶対に上の階で販売したかったので、百貨店のバイヤーに掛け合い、やがて上の階の宝飾品部門で販売できるようになりました。とても嬉しかったです。

　販売は楽しいですが、デザインを考えるのも好き

です。全国の百貨店の展示会を回っていると、オフィスでデスクに向かう時間を確保するのも厳しい月がありますが、会社に戻るとすぐにデザインに集中します。

　珊瑚の研磨職人、クラフトマンへの注文はかなりうるさいと思います。納得いくまで粘ります。自分が納得できない商品は売りません。でもまだ私自身も勉強しないといけません。もっといい細工、洗練されたものにしたいです。優しい感じのデザインが好きで、例えば花なら、香るようなイメージを珊瑚で表現したいと思っています。

　日本以外で珊瑚のジュエリーはイタリアが有名です。ヨーロッパで出回っている珊瑚は、地中海沿岸の浅瀬で採れる地中海珊瑚が中心です。日本の方はあまりご存知ないのですが、欧米ではハイジュエリーに使う珊瑚には高知の海で採れる珊瑚を選びます。高知の珊瑚は、深海で採取される宝石珊瑚と呼ばれる大変希少な有機質の宝石です。イタリアには時々、ジュエリーショーに出かけます。そこで、デザインを見て回り、パーツを仕入れてきます。イタリアのジュエリーデザインには刺激を受けますが、私は日本の女性に似合う珊瑚のジュエリー、末永く大切にしてくれるものを作っていきたい。ジュエリーは、身につける人の脇役であるべき、という考えもあります。

　赤い珊瑚はエネルギッシュで、身につけていると元気が出てくるような気がします。ピンクや白の珊瑚は清楚で、優しい雰囲気を醸し出してくれます。日本の女性にもっと珊瑚の魅力を伝えたいと思います。

赤い珊瑚の大きなものは年々、希少になっている。右のリング、中央のペンダントネックレス共に K18PG・K18WG・Pt・血赤サンゴ・ダイヤモンド。左のペンダントネックレス Pt・血赤サンゴ・ダイヤモンド。真っ白なサンゴ。ここまで白いものは珍しい。ネックレス Pt・K18PG・K18WG・白サンゴ・ダイヤモンド。リング Pt・K18PG・白サンゴ・ダイヤモンド。

展示会でお客様と話すのが大好きという久保さん。本社に新たに作られたショールーム。東京と大阪にもオフィスを開設している。

永坂 景子
Nagasaka Keiko

1988年 アテナ宝石デザイン研究所卒業。1989年〜2001年、株式会社ポーラ化粧品デザイン研究所にてラヴィドールジュエリーのデザインを担当。90年彫金師嶋田憲夫氏に師事。同年クリエイティブデザインコンテストにて受賞。以降、インターナショナルプラチナデザインコンテストなどで受賞歴多数。94年蒔絵師古山光葉氏に学ぶ。98年蒔絵師で人間国宝の室瀬和美氏に師事。2002年アトリエ「K デザイン」を開設。03年より毎年多数の宝飾展に参加。イタリアのヴィチェンツァ・オロジェンマ、香港ジュエリーショーなど海外の宝飾展にも出展。08年「品川宿ぎゃらりー連」オープン。

山口遼・Recommendation

永坂さんのジュエリーに出会ってから15年以上になる。最初に見たのは、螺鈿を使った作品で、正直びっくりした。それ以来、いくつかの媒体で数回にわたって紹介してきたが、もう一度紹介したい。彼女は、学校を終えた後、化粧品のポーラに入社、同社が展開していたラヴィドールというジュエリー部門でデザインを担当していた。2001年に独立したが、1994年頃から螺鈿に興味を持ち、いきなり人間国宝である室瀬和美さんの所に押し掛け弟子となり、独りで勉強していたと言う。大胆である。

蒔絵や螺鈿のような、純粋な日本の技術をジュエリーに取り入れると、とかく温泉土産のような作品になりがちだが、彼女の作るものは、完全な西欧のジュエリー作りに蒔絵、螺鈿を取り入れたもので、和を売り物にする臭みは皆無である。指輪やブローチが主流だが、すべて見事である。貝の小片を漆で金属面に貼り付けるという彼女の螺鈿は、おそろしく手のかかる作業で、まあ、女性ならではの作りだ。

近年、品川区が始めた旧東海道を再生させるという事業に参加し、北品川に小さなギャラリーを設けている。そこでほかの作家の個展などもやり、子どものためのジュエリー教室なども開いている。真面目な人なのだ。これからも個性のあるジュエリーを出し続けてほしいデザイナーである。

ブローチ 共にPt・K18YG・螺鈿蒔絵・ダイヤ
モンド・べっ甲。永坂さんはこれまでいくつも
のチョウのブローチを制作してきたが、チョウ
の形、螺鈿の色、蒔絵の施し方など、どれ一つ
として同じものはない。

リング上／Pt・螺鈿蒔絵。中／K18PG・螺鈿蒔
絵。下／K18YG・螺鈿。丸みのあるフォルムに
敷き詰められた螺鈿。よく見るとハートシェイプ
の貝もあり、愛らしい。

髪飾り 右／べっ甲・螺鈿・Pt・ダイヤモンド。
左／べっ甲・螺鈿蒔絵・K18YG・ダイヤモンド。
丹精込めて作られたことが分かる、アートのよ
うな簪（かんざし）。

永坂 景子
Style File Interview

幼い頃より絵を描くことや物作りが得意で、美術の教師であった母の勧めで都立工芸高校の金属工芸課に進みました。そこで、彫金、鍛金、鋳金などの金属の基本を学びました。さらにアテナ宝石デザイン研究所でジュエリーデザインと技術を習得。史上最年少の18歳でパールデザインコンテストで入賞し、企業デザイナーの道を選びました。

企業におけるデザインは、ヒット商品を生み出すことやトレンドを追いかけることで日々追われます。何か自分独自のもの、誰にも真似できないオリジナルのジュエリーは作れないものかと模索していた時、友人より蒔絵師を紹介されました。蒔絵は奈良・平安時代より伝わる日本の伝統技法です。蒔絵師の作品を見ているうちに、古典的ですが、玉虫色やピンク色に輝く青貝（アワビや夜光貝）の宝石にも負けない美しさに引き込まれていきました。蒔絵師の古山光葉氏に続いて、人間国宝の室瀬和美氏に蒔絵を学びました。最初、繊細で緻密な作業工程と、その複雑さや工程の多さに驚きましたが、ますますのめり込んでいきました。気が付いてみると螺鈿蒔絵のジュエリーを作り出して25年になります。

螺鈿蒔絵のジュエリーは完成するまでいくつもの工程を乗り越えなければなりません。通常のジュエリーを制作するための貴金属のベースが出来上がったら、その上に漆を焼き付けます。漆を定着させるには手間がかかります。乾かし、墨で表面を研いで徐々に乾かしていきます。漆は空気が乾燥していても乾きません。保湿しながら乾かすという作業を繰り返します。

漆の地が出来上がると、螺鈿の作業に取りかかります。1mmから5mm程度にカットした貝の小片を貼り付けていきます。私が使用する貝は0.08mmと薄く、最近は調達が難しくなっている素材です。貝を貼り終えたら、1カ月以上、湿度を加えながら乾燥させます。

最後に蒔絵を施したい部分に漆を塗り、金粉を蒔いて乾燥させます。さらに上から磨いて凹凸を完璧になくし、完成となります。螺鈿蒔絵のジュエリーは量産できるものでなく、一つの作品に何カ月もかかります。ですから、出来上がると感慨もひとしおです。

蒔絵はフランス王妃マリー・アントワネットが蒔絵の小箱を所有していたことでも知られ、とてもエレガントな装飾です。手に取って見ていただければ、その美しさがお分かりいただけると思います。

女性は生まれ持って美しいものが好きです。私も幼い頃からお花を愛でたり、きれいな石を集めたりしていました。美しいものを扱い、美しいものを創造できるジュエラーは女性にとって素晴らしい職業です。螺鈿、蒔絵は古の技法ですが、ジュエリーのデザインはモダンに、今の人の心に響くような新しさを表現することにこだわっています。単純に「きれい！美しい！」と見る人、つける人が感動するジュエリーを作り続けたいです。品川のギャラリーでは子ども向けに蒔絵体験教室を行い、百貨店の催事でも時折行っています。より多くの方に日本の伝統技術を知っていただきたいです。

ブローチ K18YG・バイカラートルマリン・螺鈿蒔絵・ダイヤモンド。

上／トップ K18YG・琥珀（染め）・螺鈿蒔絵。K18YG・ブラックスピネルネックレス付。下／トップ K18YG・グリーンアンバー・螺鈿蒔絵。K18YG・ペリドットネックレス付。

上／薄貝を貼る工程。下／北品川に構える品川宿ぎゃらりー連。

今井 訓子
Imai Kuniko

京都生まれ。同志社大学で美学・芸術学専攻。卒業後、ジュエリーメーカーでデザイナー兼制作スタッフとして勤務。独立し、展示会などでオーダージュエリーを中心に活動。2003年タヒチアンパールトロフィージャパンのイヤリング部門でゴールド賞、06年にも同コンテストにイヤリングを出品し1位受賞。2007年より毎年1回「IMAI kuniko KYOTO」の新作を発表。2014年御所西にギャラリー＆スタジオをオープン。京都、大阪のジュエリーショップで販売。

山口遼・Recommendation

今井さんは京都の呉服関係の仕事をされる家に生まれた。大学で美学や芸術学を専攻の後、家業に関わってみたが、ジュエリーのほうが面白いと思い、京都のメーカーに3年ほど従事した後に、自分のジュエリー作りを始めたと言う。

彼女の作るジュエリーは、シンプルながら遊び心がある。言うなれば、京都という街の粋を取り入れたことだろうか。かすかながらも、和装の世界を知っている人の匂いも感じる。といって、いわゆるジャポニスムからはほど遠いモダンさがある。

光沢を持つホワイトゴールドの面と、それと対比するダイヤモンドを埋めた面との、不思議な重なりあいを生かした指輪、それも指二本に嵌める指輪など、非常に面白い。簡単に見えるが、実は贅沢な大人の遊びと、自分を面白がる気持ちが隠れているデザインと言える。

2007年から、年に1回のコレクションを発表し、最近では京都御所の西に自分のギャラリーを開き、「IMAI kuniko KYOTO」という名で販売している。メーカーにいた時に覚えた製造技術を生かして、自作することもあると言う。そんな力仕事をするようには見えないたおやかさのある女性だが、そこが京都人の根性だろうか。

今のところ、関西のお店に出している程度だと言うが、もっと活動範囲を広げてみてはどうだろう。今後、期待したい作家である。

次々に形を変える砂丘のうねりからイメージして。
「Dune III（デューン III）」ネックレス K18YG
リング上から／K18YG・ダイヤモンド、K18WG・
ダイヤモンド、K18YG。

今井 訓子
Style File Interview

実家が呉服関係だったので、芸大の染色関係の教師や生徒が出入りし、父と話すのを目にしていました。父が「美しいものを作る仕事」を愛していることを子ども心に素敵だと思い、物作りの面白さを肌で感じながら育ちました。美学芸術学を学ぶ傍ら、染色の勉強をしましたが、染色は工程ごとの分担作業が多く、製作のすべてを一貫して自分でこなせるものがないかと考えていました。そこで、出会ったのがジュエリーでした。

京都のジュエリーメーカーで働き出し、実践で作りを学びました。制作の経験を積むうちに、ジュエリーのそのものへの興味とは別に、組み立てて物事を考え、作り上げることの面白さに気づきました。ちょうどコンテンポラリージュエリーが認知され始めた時期でもあったので、デザインにいろいろな可能性があることを知ったのも魅力でした。

会社勤めの後、独立し、10年ほどオーダーやリモデルを中心に制作していました。デザインに重きをおく顧客の方に恵まれたのは幸せでしたが、それと並行して、より自分らしさを表現する場として、2007年より、「IMAI kuniko KYOTO」という名でオリジナルジュエリーを作り始めました。

デザインや作りで大切にしているのは、何かしら新しさが感じられること。時代に語り掛けるようなものでありたいと思っています。ただ、斬新であっても、奇をてらうようなデザインは、好みではありません。バランスの良さや、つけ心地を大切にしたい。その上で、知性や五感を刺激し、想像力を広げてく

れるような、遊び心の感じられるジュエリーを作りたいと思っています。

デザインのインスピレーションは、自然から。他には、建築や彫刻など、日々の生活のちょっとしたことにも常に目を向けています。一つのものを、多角的に見たり考えたりすることで、見えなかったものが見えてきたりすることを、楽しんでいます。言葉遊びのように、決まりごとに縛られず、自由な気持ちでデザインと向き合い、表現したい。ファッションや流行も決して無視できない要素だと思っていますが、自分の中から湧き出てくる何かを、より鮮明にしたいです。

女性がジュエリーを作る良い点は、ちょっとした気分やこだわりに、女性ならではの感覚が生かされるところ。自らつけ心地を確かめられるのも強みでしょう。

私自身はピアスが好きでよくつけます。ピアスはつけると自分では見られないアイテムですが、顔に近く、男性目線で見た時、ちょっと艶っぽく、案外、他人を意識したアイテムという気がします。一方、リングは自分の目で楽しめ、パワーをくれるもの。ブレスレットは、腕と共に大きく動いて、目立ち、おしゃれな気分を高めてくれます。

私にとってジュエリーは、心に響き、気持ちを後押ししてくれるもの。小さくても存在感があるので、威圧的な雰囲気ではなく、できれば、そばにいる人の目も楽しませるようなつけ方をしたいと思っています。

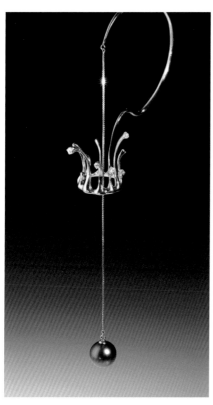

タヒチアンパールトロフィージャパン　2003イヤリング
部門でゴールド賞を受賞した作品。「A fresh drop」

「Pave(石畳)」すべてリング　K18WG・ダイヤモンド。飛び石、石畳
からインスパイアされたコレクション。四角の枠の中にセッティン
グされたダイヤモンドは、ラウンドとバケットを組み合わせている。

リング右から「otto（音）」K18WG・ダイヤモンド。輪
の組み合わせ方に計算と工夫が見える。「Bright &
Dark」K18WG・南洋真珠・グリーンガーネット・サファ
イア・ダイヤモンド。光と闇にフォーカスした 2018年
の新作。

IMAI kuniko KYOTO Gallery and Studio は、京都御所からすぐそ
ばの素晴らしい環境に位置している。

西洋のエッセンスが光る

芋縄 由佳
Imonawa Yuka

アメリカ・ニュージャージー州の高校を卒業、関西学院大学社会学部卒業。GIA G.G. プログラムとジュエリーデザインプログラムを修了。ヴァン クリーフ＆アーペルでの勤務を経て、2006年株式会社ロータスコレクションを設立。2018年4月、日本橋三越1階のbijoux.jpにて取り扱いスタート。

山口遼・Recommendation

最近、考えていることがある。普通の日本人の場合、生まれてから最初に宝石に触れるのは、たいてい学校を出て社会人になった時だろう。もし、小さな子どもの時から、身近に宝石があり普通に手を触れている女性がデザイナーになったら、違うデザインが生まれるのだろうか、という疑問だ。芋縄さんは、この疑問に答えてくれる数少ない人の一人だ。

彼女の生家は、日本人なら誰でも知っている企業の創業者一族で、その一人娘である。大学を出てからGIAでデザインを学び、その後ヴァン クリーフ＆アーペルに入社して経験を積んだ後、2006年に自分の会社ロータスコレクションを創立した。写真からも分かる通り、芋縄さんのジュエリーについて言えるのは、一貫して目立つこと、あるいは不要な派手さの拒否である。「さりげなく主張し、無理のない美しいデザインで、使われる方の印象を引き立てるものを作りたい」と彼女は言う。この辺りの無理のなさが、私見ではあるが、子どもの頃からジュエリーが日常の物であった女性の特徴ではないだろうか。

彼女のジュエリーは、まず宝石があり、その後に自然にデザインが湧いてきて出来上がるものである。ダイヤモンドと淡い色合いの半貴石が中心で、少し小ぶりのデザインとともに、実に品のある作品である。商品の品質は努力で作れるが、品格は作れない。2015年、芦屋駅の近くにサロンを開いた。品格のあるジュエリーの作り手として、大いに期待したい。

ネックレス「インフィニート コレクション」
K18YG・ダイヤモンド。リング　Pt・K18YG・
ダイヤモンド・イエローダイヤモンド。繋がる心
をイメージしたデザイン。

リング上から／Pt・タンザナイト・ダイヤモンド。
Pt・トルマリン・アメシスト・ダイヤモンド。色
の美しさを引き出した、世界に１つのデザイン。

右から／リング、ペンダント「シュガーローフ
コレクション」 K18WG・ミルキークォーツ・
ダイヤモンド。K18WG・シトリン・ダイヤモンド。
K18YG・アメシスト・ダイヤモンド。

芋縄 由佳
Style File Interview

ジュエリーとの初めての出会いは10代の頃です。家族と、父の知り合いで宝石商をしている方と一緒に香港に行きました。その方について宝石店に同行した際、大きなケースにずらっと並んだリングに圧倒されました。記念に1つ、小さなルビーが付いたリングを買ってもらいました。その時のドキドキ感は一生忘れないと思います。

幼い頃から絵を描くのが好きで、デザインやアートに関わる仕事がしたいと思っていました。GIAで勉強をしているうちに、宝石の知識は専門性が高く、年齢を重ね経験を積むほど良い仕事ができる分野で、一生取り組む価値があると強く感じるようになりました。デザインは、女性ならではの感性も生かせますし、やりがいに溢れている仕事です。

女性にとってジュエリーに関わる仕事は、良い面と、ちょっと難しい面があります。良いのは、実際に自分が欲しい、つけたいものを作り出せるところ。お客様と同じ目線で商品を見ることができます。難しいところ、それは、自分がデザインしたものを手放したくなくなるところです。

私のジュエリー作りのポイントは、さりげなく主張するもの、無理のない美しさを持ったデザインに仕上げることです。つけてくださる方の印象を引き立てるもので、長く愛用していただけるものを作りたいと思います。オーダーであれば、お客様の好みや用途などを踏まえて、宝石の持つ雰囲気から浮かんだデザインを提案します。オリジナルのジュエリーは、まずピンとくる宝石との出会いと、自然に湧き上がってくるイメージを尊重します。五感を大切にして美しいものを見ること、四季の変化や異文化への興味を持つことなど、美しさのへの好奇心がデザインに生かされるのではないかと思います。

ジュエリーをご覧いただくと分かると思いますが、私は原色よりも、少しニュアンスと深みのある色が好きです。ガーネット、トルマリン、スピネルなどに目がいきます。カットは、ペアシェイプ、クッションシェイプ、ダイヤモンドはエメラルドカットが好きです。個性的なデザインを思い描ける色やカットに惹かれるのです。

「ジュエリーを選ぶのは難しい」と感じる方も多いのでは、と思います。ジュエリーはしょっちゅう買うものではないので、いろいろ迷ったあげく、どんな服にでも合う無難なデザインを選びがちです。無難だからといってどんな服にでも合うのでしょうか。逆に印象が薄くなってしまうのでは？と思います。着る服に合わせてジュエリーを選んでみてはいかがでしょう。ジュエリーはしまい込んでおくものではなく、実際につけて楽しむものです。つけた人が周りの方に「それはどこの？」と聞かれるような、会話のきっかけとなるようなジュエリーを作りたいです。またお子さんやお孫さんが欲しいと思うような、流行に左右されないジュエリーを目指しています。私にとってジュエリーとは、気持ちを高め、自信を与えてくれるもの。自然が創り出した奇跡から、さらに人間が魅力を引き出して作り上げるアートだと捉えています。

ネックレス「ダイヤモンド・ディーヴァ コレクション」すべて
Pt・ダイヤモンド。胸元にインパクトを添えてくれるネックレス。

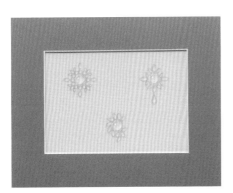

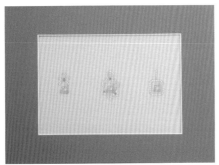

ジュエリーのデザインをフレームに入れると、
小さな絵画のよう。

宝石を1粒ずつ入念にチェックする芋縄さん。
芦屋駅前のサロンは居心地のいい落ち着い
たムードのインテリア。

能勢 利枝
Nose Rie

1951年創業の宝石輸入製造卸、株式会社北野商店の三代目。2004年ブランド「ジャルダン プランタニエ」を立ち上げる。05年NHK 夜のドラマ『ダイヤモンドの恋』に作品を提供。母校 JBS（ジャパンジュエリービジネススクール）の「ジュエリーエレガンス」課程の講師、パーソナルカラリストとしても活動。また、業界新聞へのコラム執筆、短期大学で講師を務めるなど多方面で活動。2017年 JP・NOSE株式会社を設立。

──────── 山口遼・Recommendation ────────

　能勢さんは、三代目である。色石の扱いで知られる大阪の北野商店の三代目に当たる。結婚して能勢となった利枝さんが、色石の間屋から一歩進んで、自分の製品を作ることを始めたのは、2004年、同社の40周年を記念した時のことだ。

　彼女が自分のものとして打ち出したデザインが、色石同士の組み合わせという、難題である。自分のコレクションをジャルダン プランタニエ─春の庭という意味─と名付けた。いろいろな花が咲き誇る春の庭に似た、カラフルなジュエリーという意味だろう。色石と言っても、ルビー、サファイアなどの高価で強い色の色石だけでなく、半貴石などが中心となり、そのなかでも特に良質のものだけにこだわると言う。

カットの良さにもこだわり、気に入らないものはリカット、リポリッシュして使う。これは手間も費用もかかるが、それでより美しく高まるならと能勢さんは言う。

　この2色以上の色を1つのジュエリーに使うのは、非常に繊細な感覚を必要とする。組み合わせが巧くいけば素晴らしい作品になるが、間違えると上品さに欠ける。能勢さんは、そこを実に巧く避けており、中間色の石を多用して、全体としては軽快感を出している。写真でも分かる通り、石を支える台座の作りも軽さを重視しており、彼女の物作りへの執念を窺わせる。活動は大阪が中心のようだが、東京にも徐々に進出しており、大いに期待したい作家である。

上から／ネックレス「Intuition 直感」Pt・アメ
シスト・サファイア。3.31ct アメシストの紫色
を主役にデザイン。ネックレス「Pure-Nature
新緑」Pt・K18YG・クリソベリル・グリーンガー
ネット・ダイヤモンド。6.29ct の透明感のある
クリソベリルを横向きにセッティングしたところ
がポイント。リング「Histoire 私の物語」Pt・
K18YG・イエローサファイア・ダイヤモンド。イ
エローサファイアは非加熱、5.01ct の大粒。

能勢 利枝
Style File Interview

五大宝石以外にも美しいカラーストーンがたくさんあることを伝えたくて、ジャルダン プランタニエを立ち上げました。

「いつもそばにジュエリーを　私だけのストーリーと共に」がモットーです。一点もののジュエリーとして一つずつ想いを込めて丁寧に制作しています。ジュエリーを手に取ってくださった方にイメージを膨らませていただけるよう、それぞれにタイトルとメッセージが付いています。

デザインや作りは、素材の美しさを引き立てることに集中します。正面から見える地金の分量を極力少なくし、可動のパーツは見せずに加工することを心がけています。天然で高品質の宝石同士を最良の組み合わせで完成させることは、宝石との出会いを待つ時間や根気を必要としますが、「ああでもないこうでもない」と彼らに向き合うことが、私の一番好きな時間でもあります。

ジュエリーは丈夫で美しく、時間が経っても修理ができることが大事だと思います。近年はさまざまな記念日で活用されたジュエリーのリフォーム依頼が増えています。リングからペンダントに仕立てたり、ピアスとペンダントの宝石を組み合わせて1つのネックレスにしたり。思い出を残しつつ全く新しい装いになり、身につけることが楽しくなるのではないでしょうか。宝石、貴金属の永遠の価値を再利用し、お客様の「想い」を形にするのは喜びです。

これまで数多くのオーダーメイドのご注文にもお応えしてきました。例えば、ホームページでも紹介しhttていますが、大きなハートシェイプのガーネットにハートのダイヤモンドを添えたペンダントを作りました。身につける女性とそのお母様との愛情を表したデザインで、大変喜んでいただきました。ハートの形のガーネットを探すところからお手伝いさせていただきました。

そういえば、私が初めて身につけたジュエリーもガーネットです。16歳の誕生日に両親から贈られたリングに真紅の宝石が輝いていました。

素材には強いこだわりがあります。品質、カラー、形と納得いくものだけを集めます。色とりどりのカラーストーンを眺めているうちに、デザインのイメージが湧いてきます。

作りでは、プロング（爪）の形、大きさ、位置、色、本数に気を使います。宝石の輝きや美しさを引き出す重要な要素だからです。

好きな宝石は、コランダム（ルビー、サファイアなど）、ガーネット、スピネル、クリソベリル……、色の美しい宝石ならすべて。種類はこだわりません。カットはハートシェイプやクッションシェイプが好きで、作品に多用します。

子どもの頃からジュエリーや宝石が大好きで、気がついたらデザイナーになっていました。女性にとってジュエリーに関わる仕事をすることは、等身大でジュエリーを感じ、身につけて楽しむことができるので、年齢を重ねるほど面白さが増します。周りで真のジュエリーファンが増え、喜びを共有できる人が多くなっているので、益々楽しくなっています。

すべて非加熱のサファイアを使用したネックレス。右から／「Eternal 永遠に」Pt・ピンクサファイア・ダイヤモンド。「Symbol 象徴」Pt・ブルーサファイア・アコヤ真珠・ダイヤモンド。「Parfum 香水」Pt・K18YG・ブルーサファイア・イエローダイヤモンド・ダイヤモンド。

右から／リング「D ディー」Pt・K18YG・アクアマリン・ダイヤモンド。ブローチ「Fleur 花」Pt・K18YG・ルビー・アコヤ真珠・ダイヤモンド。リング「Celebrate 祝う」K18YG・Pt・グリーンガーネット・ダイヤモンド。リング「Jardin Printanier 春の庭」K18YG・Pt・ガーネット・ダイヤモンド。

神戸の宝石店ジュエリーカミネより依頼され、手塚治虫氏の代表作『リボンの騎士』のサファイア姫の王冠を手塚プロダクション監修の元、能勢さんがデザイン。2017年大阪で開催された手塚治虫『美男美女展〜優艶〜』で特別展示され、今は各地を巡回している。

大林 智子
Obayashi Tomoko

New York Pan America Art School にてジュエリーデザインを修得。帰国後ジュエリー専門学校で製作技術を学ぶ。GIA G.G.修得。株式会社ミキモト本店特別顧客室勤務。1988年青山に株式会社ジェムフローレスを開店。2008年広尾にサロン「TJコレクション」を開業。

————— 山口遼・Recommendation —————

　大林さんは、私の元部下である。銀座のミキモト本店で一緒に働いた。まぎれもなきお嬢様である。ニューヨークの学校でジュエリーデザインを修得後、GIA G.G.を修了、日本でジュエリーの制作を学んだ後、ミキモトに入社した。1988年に退社して、青山に自分の店ジェムフローレスを開き、その後、広尾にTJコレクションというサロンを開設して今日に至っている。そこで大林さんがデザインをしたジュエリーを直接販売している。

　彼女のジュエリーには特徴がある。それは素材をケチらないこと、作りにこだわること、そして品格のある作品とすることを重視している。全体としては、やや大柄であるが、軽くなるように、作りに気を使っ

ていることが分かる。使う女性が、より美しく、品格と個性とを主張できるもの、そうしたジュエリーを作りたいと彼女は言う。

　まあ、こうした特徴は、金銭的に困らないお嬢様デザイナーの共通項だが、大林さんの場合には、小さなジュエリーを全く作らず、どこから見ても、オーソドックスな、それでいて下品さのない、けれんみのないジュエリーに仕上げていることだ。意外なことだが、ジュエリーデザイナーの中で、こうした特徴を備えているモノを作る人は少ない。平凡の中に非凡を作る、これは最も難しい作業である。こうした意味でのジュエリーを作れる人として今後、大いに期待したい。

上から／すべてブローチ　K18YG・ダイヤモンド・エメラルド。ゴールドのテクスチャーが美しい。Pt・K18YG・エメラルド・サファイア・ダイヤモンド。中央のカボションのエメラルドが目を引く。Pt・アクアマリン・ダイヤモンド。洋服の胸元のデザインに合わせて、縦、横と向きを変えてつけたい。K18YG・シトリン・南洋真珠・ダイヤモンド。ランダムにシトリンをセッティング。動きがあり楽しさのあるデザイン。

大林 智子
Style File Interview

美大を志望していたのですが、両親の勧めで小学校から通っていた東洋英和女学院の短大から英文専攻を卒業し、その後コマーシャルデザインの勉強が諦めきれず、父を説得してニューヨークの美術専門学校に留学。欧米特有の洋服、靴、バッグ、ジュエリーなどファッション・イラストレーションを修得しました。

当時アメリカの新聞広告やポスターには写真が使われることは少なくイラストが中心で、それは、イラストのほうが商品を魅力的に表現できるからなのだと思います。授業ではフリーハンドで直線やあらゆる形体を描く練習を何度もさせられた記憶があります。人それぞれの個性溢れる描写になり、そこが評価の対象でした。

卒業後、ニューヨークでの就職も決まっていたのですが、結局父に反対され、帰国してから「女性も手に職をつけなさい」との母の勧めもあり、まだ開校間もない都内のジュエリーの専門学校で作りとデザインを学び、また同時に、宝石鑑定の資格も取得しました。

その頃、ご縁がありミキモトに就職することになりました。私は工場かデザイン室での仕事を希望しましたが、営業部に配属され、しばらくして新しくできた本店特別顧客室に勤務することになりました。

自分自身の可能性に賭けてみたかったため、6年勤めたミキモトを辞め、青山に宝石店ジェムフローレスをオープンしました。ミキモトでは毎日多くのお客様の接客に追われていたのですが、この店ではくつろぎの中でゆとりのある接客をすることで、お客様に心からジュエリーを楽しんでいただくことを目標にしました。開店後は徐々にお客様がお客様を紹介してくださるというかたちで顧客が増えていきました。欧米の宝石店のような優雅な時間と空間を提供する店を思い描き、お客様と共に20年を過ごしました。

現在広尾で開いているサロンでも、私がデザインしたジュエリーの新作や一部ヨーロッパのジュエリーのご紹介、またジュエリーのリフォームやメンテナンスをアポイント制で行っています。

ジュエリーのデザインでは大きさを慎重に考え、立体感ある美しさと使用感の良さを重視した作品を心掛けています。

日本の女性が着用するのは難しいと敬遠しがちなイヤリングとブローチを特におすすめしています。イヤリングは女性の顔をパッと華やかに明るく引き立て、ブローチはつけ方一つでお召しになっている洋服を素敵に演出してくれるからです。

私に宝飾品の道を勧めてくれた母は戦後間もない頃、ちょっとした外出にも好みのスーツの襟元にパールのブローチをさり気なくつけていました。その姿は幼い私が見ても素敵だったことを今でもはっきりと思い出します。

現代を生きる女性にも、そうしたおしゃれ心を持って日々のさまざまなシーンでジュエリーを楽しんでいただけるよう、装いをトータルに提案するジュエリーコンシェルジュとしての役割を果たしていきたいと思っています。

リング　Pt・ダイヤモンド。同じリングを横、上
から見たところ。ダイヤモンドのアーチの下にダイ
ヤモンドを配置した二重構造の凝ったデザイン。

上から／リング　Pt・ダイヤモンド・サファイア。
アール・デコを彷彿とさせるデザイン。
中／ブローチ　K18WG・ダイヤモンド・サファ
イア。ジャケットの襟元にぴったり合う形。
下／リング　Pt・ダイヤモンド・サファイア。デ
イジーのように華やかで品の良いリング。

サロンは東京・広尾のマンションの一室に開設
している。

脇島 明希奈
Wakishima Akina

大学在学中に夜学でジュエリーデザインを学ぶ。大学卒業後、ジュエリーデザイナー水野薫子氏に師事。ニュージーランドの美術館で児童教育のアートワークショップでボランティア活動。2009年帰国、オーダーメイドジュエリーのデザイナーとして活動を開始。10〜13年、ELLE ONLINE でブログを執筆。14年オークションハウスに勤務、17年より株式会社アプレにバイイング、ジュエリーデザイナーとして在籍。18年、「脇島明希奈」「Akina Wakishima」の2つのコレクションを発表。

山口遼・Recommendation

　女性のデザイナーが異口同音のように言う悩みは、資金不足と売る場所がないことだが、脇島さんの場合には、どうもこの悩みがないように見える。かなりしっかりしたスポンサーが付いているようで、この意味では幸せなデザイナーだと言える。

　彼女の経歴は面白い。女子大に通いながらジュエリーの専門学校に通うという、いわゆるダブルスクールを経験している。そのためか、専門学校だけで学んだ人よりも視野が広いように思う。卒業後、高名な女性デザイナーの会社に勤めるが、突然ニュージーランドの美術館でボランティアになる。その後帰国して、2009年からオーダー専門のデザイナーとなり、さらに女性誌のブログを執筆、14年からオークション業者で宝飾品の鑑定士と働いた後、現在の会社に転籍し社長に提案し、デザイナーというポジションを自ら獲得する。

　彼女のジュエリーの特徴は、奇をてらわない、つまり、見事な宝石を中心に据え、真っ向から正統的な作品を作ることにある。すべて一点もので、それを実際に使う顧客をじっくりと見てからデザインに入ると言う。つけ心地や作りの強度なども重視し、クラフトマンとの話し合いを大切にしている。こうした普通のジュエリーで個性を出すのは、奇抜なデザインで個性を表現するよりもはるかに難しい。脇島さんは、良いスポンサーに恵まれ、こうした正統の道を歩むデザイナーとして、今後の活躍に注目したい人である。

ランダムなヘアライン仕上げを施したアミュレットペンダント。右／トップ Pt・パライバトルマリン・ダイヤモンド。左／トップ Pt・K18YG・ルビー・ダイヤモンド。ルビーはビルマ産ピジョンブラッド。共に Pt チェーンネックレス付き。ブローチ×ペンダント K18WG・ダイヤモンド・ルビー。ダイヤモンドの特徴的なシェイプを花器に見立てたクラシカルなデザイン。

脇島 明希奈
Style File Interview

　大学に入ってからモノを作る仕事をしたいと考えるようになり、夜間、ジュエリー専門学校に通うようになりました。国内外の美術館や博物館、アンティークマーケットを見て回るうちに、身につけられる一番小さな美術品であるジュエリーにどんどん惹かれていきました。

　母はファッションが好きな人で、幼い頃から「本物を持つようにしなさい」と言われて育ちました。高校生の時に母から真珠のリングを買ってもらいました。身につけた時、大人になったような特別な気分を鮮明に覚えています。

　勤務しているアプレは、宝石貴金属の買い取りを行い、業者間での販売やオークションを開催している会社です。会社で仕入れた宝石を用いて新たなジュエリーをデザインして販売してみてはどうかという提案を社長にしました。プレゼンが通って、今年、「脇島明希奈」「Akina Wakishima」を発表しました。

　「脇島明希奈」はすべて一点ものです。石を見てデザインします。十年ほど経験したオーダーメイドを作る感覚を生かして、身につけてくれる人に思いを巡らせます。一点一点ストーリーを考えてデザインします。また日本人らしい美意識、遊びを入れるように心がけています。しかし、ジュエリーは、身につけるものなので、デザインの美しさだけでは成立しません。つけ心地と、強度・耐久性とのバランスに悩まされ、職人さんと納得いくまで話し合うことがよくあります。

　「Akina Wakishima」もデザインを起こした順に

シリアル番号を打刻した一点ものになります。ダイヤモンドやチェーンなどリユースの素材を用いたエシカルジュエリーです。近年、世界的に資源の消費の問題が重視されております。循環型社会を目指す企業の取り組みとして、時代に沿ったコレクションだと思います。

　とにかくいつもジュエリーのデザインを考えていて、片時も忘れることがありません。日常生活で目に飛び込んでくるもの、感じるものすべてがインスピレーションの源です。夢にデザインが出てくることがあり、朝起きてすぐにデザイン画を描くこともあります。

　石と人は一期一会、宝石も人と同じように個性があり、唯一無二です。素晴らしいものに出会うと、ドキドキします。特に好きな宝石はオパールです。作品に用いる宝石は、デザイナーとして心動く宝石と、鑑定士としての目で、品質が良く価値のある希少石から美しいものを選んでいます。

　ジュエリーは私にとって喜びであり、これからの人生も共に歩んでいきたい存在です。デザイナーとしては、私のジュエリーを身につけてくれる方の人生に寄り添うものを作っていきたいです。世代を超えて、百年経った時にはアンティークジュエリーと呼ばれるようなものを作るのが目標です。

　ジュエリーは私の人生に欠かせないものですから、出掛ける時は必ず身につけます。装いのバランスを見て、最後にジュエリーを、その日のシーンや気分に合うものを選びます。

すべてリング。上から／K18YG・ゴールデンサファイア・ダイヤモンド。ミレイの「オフィーリア」
をイメージし、指に絡みつく植物、今にも開きそうな大輪の蕾をデザインした。K18YG・ファ
イヤーオパール・グリーンガーネット。ミル打ちを施したクラシカルなリング。K18YG・
K18WG・ロードライトガーネット・ダイヤモンド。ロードライトガーネットは、新しく発見され
たグレープガーネットとも呼ばれるカラー。ダイヤモンド1粒1粒が揺れるような仕掛けになっ
ている。Pt・ルビー・ダイヤモンド。ルビーはビルマ産ピジョンブラッド。

会社でデザイナーは脇島さん一人だけ。鑑定査
定や仕入れ業務をしながら、デザイナーとして
活動する。夢の中にデザイン案が出てくることも
あり、早朝、忘れないうちに絵に描いたりする。

リング Pt・ダイヤモンド。中心のダイヤモンド
は不純物をほとんど含まない Type IIa、5.61ct。
何十億年前に生まれた、ピュアで美しいダイヤ
モンドが引き立つように、壮大で優美な時の流
れを表現した。

だん すみよ
Dan Sumiyo

大阪芸術大学卒業後、商社でデザイナーとして勤務。後に身につけたイタリア語を生かしてフリーランスで企業やメディアなどのコーディネーターとして活躍。フィレンツェにある美術学院に通い、2001年頃から本格的にジュエリーのデザインを始める。07年フィレンツェアルノ川沿いにパートナーのマルコ・バローニとの工房をオープン。11年に自身のブランド「Pura」を発表。

山口遼・Recommendation

だんさんは、この本に取り上げたデザイナーの中で、一段と変わった存在だ。日本にいるのではなく、イタリアのジュエリー製造のメッカであるフィレンツェに居住し、自分のデザインしたものをイタリア人のクラフトマンに作らせ、日本に戻って販売をしている。したがって、使われている技術は、完全にイタリアのものである。

経歴も変わっている。大学を卒業後、1991年頃からイタリアで通訳やテレビなどのコーディネートなどをした後、97年にフィレンツェに移住、2007年、イタリア人のパートナーと工房をオープンし、11年自分のブランド、プーラを立ち上げた。貴金属工芸のメッカであるフィレンツェには、多くの繊細な技術を持ったクラフトマンがいる。なかでも彼女が気に入っているのは、トラフォーロと呼ばれる糸鋸で繊細な線を作り出す技術である。それだけでなく、彼女が作ったデザインを一番巧く作れる作家を求めてフィレンツェ郊外にも出向くと言う。

京友禅の作家であった祖父の血を引いているのか、日本人の感性を生かしたデザインを、イタリアのクラフトマンに作らせるという、ユニークな組み合わせを行うだんさんのジュエリーは、年に数回帰国する折に受注会のような形式で販売している。作品は明らかに日本国内で作られるものとは異なる不思議さ、面白さがある。できるなら、どこか決まった店で扱ってもらいたいと思えるジュエリーである。

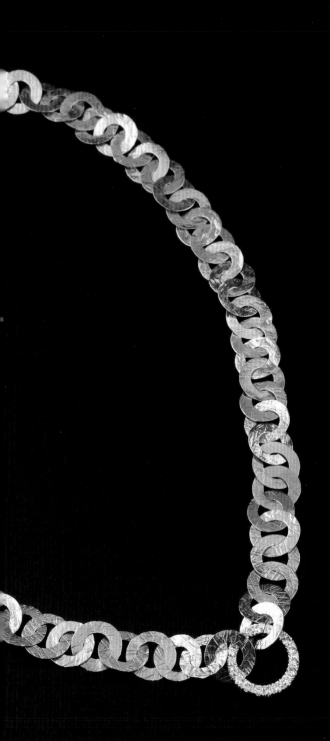
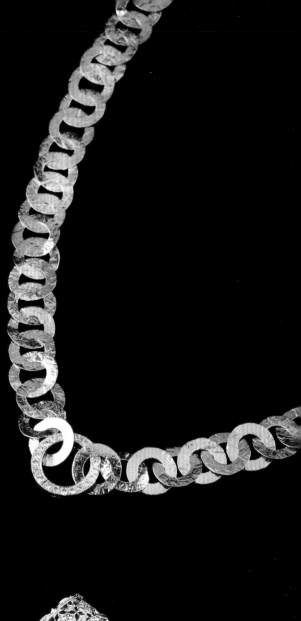
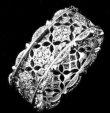

ネックレス「precious（プレシャス）」右／K18WG・
ダイヤモンド。左／K18YG・K18WG・ダイヤモンド。
ハンマーリングによる優しい輝きのディスクを繋
げたネックレス。ダイヤモンドあしらった留め金
は取り外して、好きな位置に付け替えることがで
きる。リング「Arno（アルノ）」K18 シャンパン
ゴールド・ダイヤモンド。トラフォーロの技術を
駆使したリング。アルノとはフィレンツェの旧市
街を流れる川の名前。

祖母、母共にジュエリー好きで、子どもの頃からよくジュエリー展示販売会に連れて行ってもらい、また、着物のデザインを手がける祖父の作品を見て、「粋」「美しさのバランス」というものがどういうものなのかということを感じながら育ちました。初めて作ったジュエリーはムーンストーンのリングです。18歳の時、父のインド旅行のお土産でもらった石をリングに仕立てました。本格的にジュエリーの制作に関わりだしたのはフィレンツェに移り住み、現在のパートナーであるマルコ・バローニと出会い、イタリアの手仕事で仕上げるジュエリーに魅せられたのがきっかけです。

イタリアに長年住み、日々、美しいフォルムについて考えて生活する中で、日本との違いを最も感じるのは「線」です。日本には交わる、重なる、美しい直線が多く、ヨーロッパではうねる、悩ましい、柔らかな曲線が多く目につくということです。その曲線も時代の変遷と共にローマン、ルネサンス、ロココ、アール・ヌーヴォーと異なる様式美が生み出され、時代のデザインの考え方に影響しています。

曲線のほかに私のジュエリーで欠かせないのはトラフォーロという髪の毛のように細い糸鋸で金属を切り抜いてレースのように仕上げるテクニックです。最近はレーザーで仕上げた同じようなジュエリーも市場には出回っています。機械で作ったものはブレがなく規則正しく出来上がっているものの、機械の部品のように冷たい印象を受けます。

フィレンツェ市内にはいくつものジュエリースクール

があり、そこにも多くの日本人の学生たちが学んでいます。手先の器用な彼らはあっという間に上達するのですが、不思議なもので、ジュエリーのような小さな作品にも彼らの生真面目さが見えます。きちんと出来上がっているのですが、色っぽくない。イタリア人の教師は「mettiti anima, anima !」（魂を入れろ）と指導します。理解することではなく、感じることなので、それは実技よりも難しい課題かもしれません。

私のジュエリーの多くは、何十年ものキャリアを持つマエストロたちとのコラボレーションによって生まれます。それぞれのマエストロの個性をよく理解し、得意とするものを最大限に引き出せる仕事を依頼する、それは、ジュエリー制作という仕事のうえだけに限らず、人間関係のベースがしっかりできていないと不可能です。デザイン画を見せて、「この通りにやってね」というだけではいいものは生まれません。意見が合わなくて、時々口論にもなるけれど、お互いのアイデアより良いものを作ろうと思うから、ある意味真剣勝負になるのです。

私の小さなジュエリーには、私や彼らの思いや経験がたくさん詰まっています。良いジュエリーとはただ大きな宝石やたくさんの石が使われているものではないのです。どんな流行や時代でも、上質で、主張しすぎず、エレガントなドレスにも、白いシャツとジーンズにも合う、使い込むほどにいつかその人自身のストーリーと寄り添って重なる、そういうものであってほしいと思います。

56

ペンダント右から／「Ghianda Regina（女王様のどんぐり）」K18YG。「Ghianda Principessa（プリンセスのどんぐり）」K18WG・K18YG。イタリア語でインチーゾと呼ばれる手彫りによる艶やかな仕上がりが特徴。K18YG チェーンネックレス付。

ブレスレット「Hedera（ヘデラ）」K18WG・ダイヤモンド。K18YG・ダイヤモンド。モチーフはアイビーと実。だんさん自身が自分用に品のいいブレスレットが欲しくて制作。今は人気のコレクションの一つ。

マエストロのマルコ・バローニさんと一緒に。
クラシックな雰囲気の自宅がだんさんの作業場。

自己表現のかたち

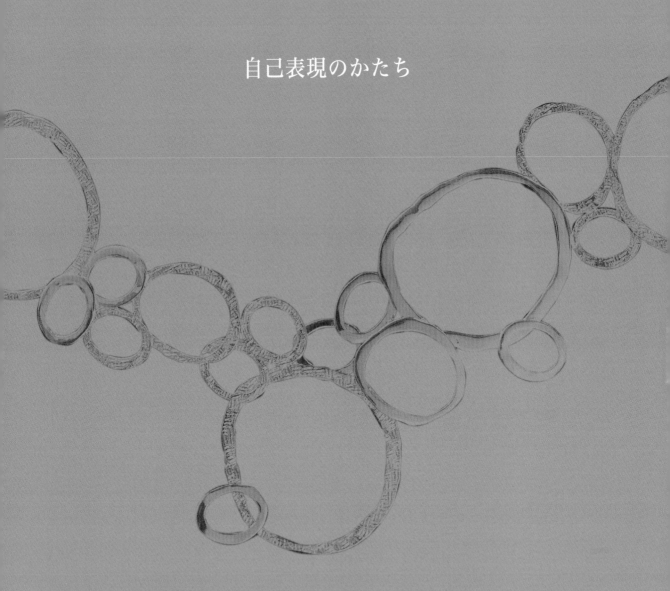

吹田 眞輝江
Suita Makie

S. MAKIE デザイナー　2002年 GIA G.G.、04年から07年までゴレイ ブッシェル ジャパンに勤務。勤めながら 05年、インターナショナル サウスシーパール ジュエリー デザイン コンペティションに入選、同 年タヒチアン パール トロフィー ジャパンのブローチ部門1位とペン ダント部門2位、06年日本ジュエリー協会デザインアワード入選など 受賞歴多数。07年よりフリーデザイナーとして活動を始め、京都、 東京で個展を開催。15年〜17年、シチズン宝飾とデザイナー契約。 真珠科学研究所パールマスター、日本リ・ジュエリー協議会ジュエ リー・リモデル・カウンセラー 1 級取得。

山口遼・Recommendation

　ジュエリーを作ること、あるいは売ることに楽し みを見出すということは、遺伝するのだろうか。吹 田さんに会う度にそう思う。吹田家は、関西にあっ た吹田貿易を経営していた一族であり、古くは室町 の頃から、御所に勾玉などを納めていた家である。

　吹田さんは純粋の京娘である。大学を終えて GIA で学び、その後神戸のゴレイブッシェルに勤務した。 その一方で、6歳から井上八千代さんについて日舞 を、お茶を表千家の直門として学ぶという、京都な らではの教養を身につけた女性である。

　彼女は両親の経営する会社で、見よう見まねでデ ザインを始め、いくつかの賞を取った後に、フリー のデザイナーとして活躍し出した。

　吹田さんのジュエリーは、写真からも分かる通り、 大胆である。やや大ぶりで、優れた素材と優秀な 職人さんたちの協力を得て、モダンではあるが京都 を感じさせるジュエリーを作る。大胆でいて上品で あるというのは、非常に難しい選択だが、彼女はそ れを無難にこなしている。あまりごちゃごちゃとし たデザインではなく、全体にすっきりとしているが、 特徴があると思う。

　彼女は言う。基本は、美しいものを美しく描く、 もう一つは不易流行というか、京都ならではの昔から の美を生かせるデザインを基本にしたいと。に吹田 さんのようなキャリアを持った女性は数少なく、それ を生かしたこれからの作品に期待したい女性である。

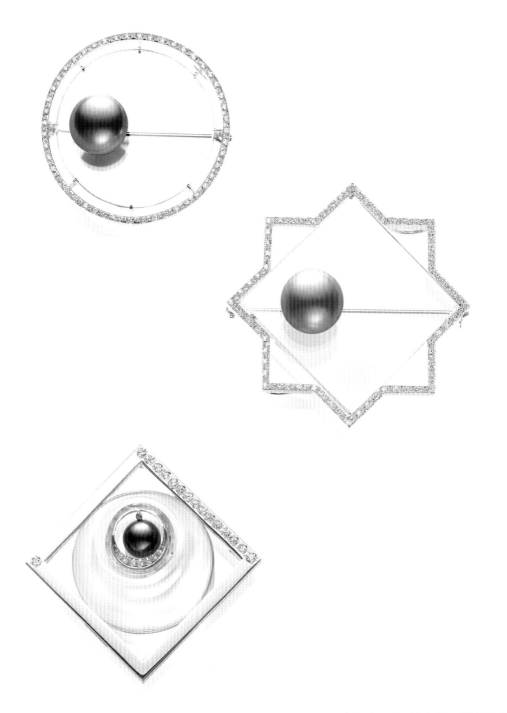

すべてブローチ。上から／ Pt・ダイヤモンド・
黒蝶真珠・水晶。Pt・ダイヤモンド・南洋真珠・
水晶。K18WG・K18YG・ダイヤモンド・黒蝶真珠・
水晶。透明感のあるクリスタルの上に真珠が浮
かび上がるブローチ。余計な装飾のない、研ぎ
澄まされたデザインである。

右から／リング K18WG・ダイヤモンド・ケシパール。ペンダントネックレス Pt・ダイヤモンド・バロックパール。リング Pt・バロックパール・ダイヤモンド。二つとして同じものがないのがバロックの魅力。

上／タヒチアンパールトロフィー 2005/2006 で
入賞したペンダントネックレス。中央に配した勾
玉の形の水晶とオニキスに、吹田さんのルーツ
を感じる。Pt・オニキス・水晶・南洋真珠・ダイ
ヤモンド。
下／インターショナル・パールデザインコンテスト
2007 で入賞したイヤリング。K18WG・SV・アコ
ヤ真珠・南洋真珠・ダイヤモンド。月形の銀の
部分に日本の伝統的な金工着色技術を採用。

吹田 眞輝江
Style File Interview

物心ついた時から、身の回りにジュエリーがありました。代々宝飾に関わる仕事をしていたので、知らず知らずにジュエリーに触れていたのです。ですから、この仕事に進むのは自然の流れだったのだと思います。両親は私が事業を継承するとは期待していなかったようですが、私のほうから母に申し出て経営を引き継ぎました。

会社勤めをしながら、機会があればデザインコンテストに応募しました。ここに掲載されている、中心に勾玉の形のオニキスと水晶を配置したペンダントは、タヒチアンパールトロフィー2005/2006で受賞した作品です。タイトルは「永遠／endless」、テーマは「一切の万物は、陰陽二気によって生まれ、変化し進化する。それの繰り返しである。両極から生まれる時の流れ」としました。ペンダントの下に掲載されているイヤリングはインターショナル・パールデザインコンテスト2007で入賞したものです。タイトルは「百年 古（いにしへ）の風」、コンセプトは「一滴の水滴から広がる波紋と水のしずくの創造」です。耳から垂直に垂れ下がるデザインで、風を感じるようなジュエリーを作りたかったのです。同時に、伝統工芸の技法を生かしてみました。

掲載している作品の中で新作は、水晶の丸と四角のブローチのコレクションです。水晶の透明感を生かして、不自然な自然を表現してみました。水晶の上に留めた南洋真珠が宙に浮いたように見えます。衣服の上ではモダンに、布地と調和し、不思議な相乗効果が現れます。

もう一つの新作コレクション、バロックパールのジュエリーは、真珠の自然の形を素直に生かし、360度楽しめる作品にしました。真珠を1粒ずつ、色と照りが美しいものを吟味して、いろいろな方向から観察してデザインしています。

ジュエリーのデザイン、作りでは特につけ心地にこだわっています。身につけた時、100%素敵に見えるようにデザインしたいと思っています。自分でもジュエリーをつけるので、まず自分がつけてみたいものを作ってみたりします。これは、女性のデザイナーの特権です。表側から見えない裏の仕事も手を抜かず、丁寧に仕上げることが絶対条件です。デザインのインスピレーションは、自然、そして湧き出てくる自分の感覚を大切にしています。プライベートでも自然の中で過ごすことが好きなので、そんな時間にヒントを得ているのかもしれません。

好きな宝石はダイヤモンドと真珠。コレクションのほとんどがその2つの宝石です。ブリリアントカットや少し個性的なラディアントカットが好きです。真珠は大きなサイズやバロックをよく用います。私のジュエリーは大ぶりなものが多いですが、ジュエリーは強く、美しく、自信が持てる、パワーの源、そしていつもワクワクする気分をくれるものであって欲しいと思っているからです。

2017年まで企業と契約しデザインしていましたが、さらに自分でチャレンジしたくなり、「S. MAKIE」というブランド名を作り、新たな一歩を踏み出しました。

大小のパールを用いたイヤリング。真珠の配置のバランスに注目。Pt・南洋真珠・黒蝶真珠・ダイヤモンド。

リング K18YG・ルチルクォーツ・ダイヤモンド・ベビーパール。小さなパールが揺れるデザイン。

オフィスがある京都・清水のアトリエ。移り変わる四季を感じることのできる緑が豊かな環境が、吹田さんの仕事場。

島田 節子
Shimada Setsuko

山梨県甲府市で代々宝飾業を営む家に育つ。1999年東京・青山で初個展、2002年日本橋髙島屋で個展を開催。05年ニューヨークジュエリーショーにて世界で10人の作家として選出されクチュールギャラリーに出展。08年JCK ラスベガスに出展。甲府に「ギャラリー BIZ」をオープン。17年SIJE シンガポール国際宝飾展デザインギャラリーに出展。

山口遼・Recommendation

宝石の街、甲府で、島田姓を名乗る宝石業者は多い。島田節子さんも、そうした一族の一人である。自宅の中で、大人たちが扱っているジュエリーを真似しているうちに、自然に覚え、いつしかお客がつくようになったのが始まりと彼女は何気なく言う。

彼女の面白さは、そうした平凡なスタートに甘んじることなく、自分ならではの道を真剣に探したことだろう。彼女がたどり着いたのは、宝石というものは、人類が宇宙からもらったもので、金銭的な利益のために、それを切ったり削ったりすべきものではない、ということだ。これは甲府ではかなりユニークな発想だ。

写真を見てもらいたい。彼女のジュエリーは、基本的にあまり加工しない宝石、その多くは半貴石を使って、社会に出て働く女性たちが自然に使えるシンプルなものを中心としている。

自分の名前を付したジュエリーを作る作家が多い中で、特に女性のデザイナーの間では珍しい姿勢と言える。デザインの上ではシンプルなものほど、作るのが難しいのだが、彼女はそれを見事に乗り越えたと思う。

島田さんは、甲府にBIZというアトリエを構え、ジュエリーを売ると同時にリフォームなども受けている。ジュエリーを、とかく金儲けの手段としてしか考えない宝飾業界、特に甲府の中では、出色の作家である。これからの活躍を期待したい。

ネックレス「水玉あそび」SV・K18 ゴールドプレーテッド。水面に浮かび上がる水玉を想起させるネックレス。羽織るようにつけてほしい。

島田 節子
Style File Interview

ジュエリーが身近にある環境で育ち、いつでもジュエリーをつけられる状況にあったのですが、20歳を過ぎても外出の際にジュエリーを何もつけてない姿を両親に「寂しい」と言われ、ジュエリーをつけるようになりました。

東京の大学を出ると、あえてジュエリーの仕事を避け、旅行会社に勤め、お客様の旅行のプランを立てたり、自分自身でも海外旅行を楽しみ、やがて甲府に戻り、私用のジュエリーを作っていた頃は、それが将来の仕事になるなど予想だにしていませんでした。ところが、親族の会社で私用で作った物を会社の個展に展示だけを条件に貸したところ、会社にオファーが入り大変なことに。

仕事で自立するとなると、いろいろ考えます。製法も業界知識もない不安。職人さんに尋ねると迷惑がかかる。「どこかで勉強しなくては」と口にしたところ「人から教えてもらおうと思うな、自分で考えろ」「人から教えられたらそれを越えるのは難しい」とのガラス工芸作家の友人のキツイ言葉。以来、ひたすら読み、考え、描き、と続けるうちに自分の好きな形やスタイルが見えてきました。基本には、地球からいただいた美しい自然の石を同じような形のカットに切り刻み、それを金属の枠に押し込めるという乱暴とも見える方法が私には本当の美しさとは思えず、ましてやガチガチに金属で固められた物を身につけるのもふさわしくないと感じました。どうして人にもジュエリーにも優しくしてあげないのかと。私の方法は、たまたま今、私の前に出てきてくれた

この石の個性をいかに美しく仕立てあげるかを石とじっと対面して考えます。

ジュエリーの役目は第一に、身につけた人の品位を高め個性を際立たせること。そのためには、オーダー及びリデザインともなると、相手の方の体格、肌色、衣類の傾向など、キャッチしたすべての情報を考慮し、それらを踏まえデザインをする。製品となった品をお求めのお客様には、服装やお話の雰囲気から環境を推察し、提案する品を選びます。さらに帽子、手袋がファッションを完結させてくれると思います。

例えば、ここに掲載している青い変形の石、アジュライトを用いたリング。アジュライトは、アフリカ産出の石です。これは、私が一人でアフリカ大陸を旅行した時よく見かけた巨大な石山をイメージした作品で、この石を支えるアームはアフリカのバオバブの木です。もう一つ、アクアマリンのリングは、その形状からインスピレーションを得たリング。石が手の甲に斜めに伸びる動きが楽しいリング、手が美しくすっきり見えます。細かく入ったファセットもきれいです。

また、最近はオブジェの制作も行っています。セレナイトというブラジルの大きな洞窟の壁に張り付くように伸びるレアな石を「蜃気楼に浮かぶ船」に見立て、宝石や10金で制作したいくつもの小さなオブジェが施されています。実は小さなオブジェの一つはピンブローチです。オブジェでありながら、つけても楽しめることを同時に実現しました。

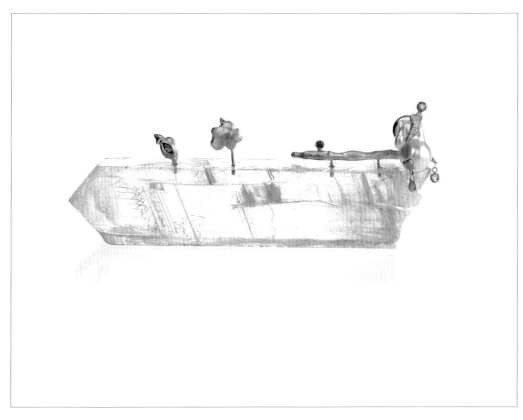

オブジェ（ピンブローチ付）「蜃気楼に浮かぶ船」K10YG・セレナイト・サファイア・
スピネル・パライバトルマリン・ダイヤモンド・南洋バロックパール・エメラルド。

上／リング　K10WG・アジュライト・ダイヤモンド。青いゴ
ツゴツとした石からイメージしたのは、アフリカの石とそれ
を支えるのは、やはりアフリカの木、バオバブ。左下のリン
グは同じもの。
左／リング　K10WG・アクアマリン。島田さんが大好きだ
というアクアマリンを使った、大胆なデザイン。
甲府の日本家屋のゆったりした雰囲気のアトリエで仕事をす
る島田さん。

中嶋 彩乃
Nakajima Ayano

ジュエリー・アーティスト　2006年から創作を始める。08年ジュエリーデザインアワードに3点入選、JTOコンテスト 東京都知事賞、11年・13年・14年・17年インターナショナル ボルダーオパール ジュエリー デザイン アワード優勝など、受賞歴多数。09年より毎年、宝石学会（日本）にて研究発表。14年上海インターナショナル メタル クラフト&アート オブ ジュエリー展に招待出品以降、中国から招待され、度々展示会に出展。東京商工会議所1級カラーコーディネイター、JBS宝石鑑定士ディプロマ、真珠科学研究所パールインストラクター、RJ ジュエリー・リモデル・カウンセラー1級、NHK文化センター講師。宝石学会（日本）会員、宝飾文化を造る会会員。

―――――― 山口遼・Recommendation ――――――

中嶋さんのジュエリーを見た時の第一印象は、何と大胆不敵な、という言葉である。大きめの宝石、それも決して高価なものではなく、あまり名前も知られていないような、不思議な石をどーんと真ん中に据え、大柄な大胆不敵なデザインをつける。それでいて野卑ではない、これは重要なことだ。

彼女がジュエリー作りを始めたのは、それほど古いことではない。2006年が最初である。すべてのデザインの基本は、石、宝石だと彼女は言う。大袈裟に言えば、石が語りかける声をデザインしたものが自分のジュエリーだと言う。すべての宝石が好きで、石が最も輝くようなカットが好きだと言う。

こう言うと、なにか神がかったストーンパワーなどを喧伝するアーティストに思えるが、実際のジュエリーは甚だ常識的な線をしっかりと押さえている。ただ彼女の頭には、その宝石をいかに生かすか、それだけがあるようだ。ジュエリーをつける時のポイントは、自分がショールームになることだと、堂々と言ってのける。

写真で見ると、大きく見えるが、バランスはとても良い。そこが巧いと思う。彼女は宝石学会でも毎回発表に参加しており、石への関心の強さを示している。最近では中国の雲南省で採れる石の普及にも務めており、大胆さの陰にある繊細さ、誠実さを感じさせる。とにかく、ユニークなアーティスト、これからもさらに大胆になってもらいたい。

「RECITING」ネックレス K18WG・K18YG・K18PG・ロードクロサイト・サファイア・ダイヤモンド・ブラックダイヤモンド。ペンダントトップのロードクロサイトはアメリカ・コロラド州のスウィートホーム鉱山産。4.77ctのスクエアカット。

中嶋 彩乃
Style File Interview

　長年アートディレクターとして活動をしていましたが、2006年からジュエリーの創作を本格的に始めました。きっかけは、翡翠です。ある日出会った翡翠に、この世界に呼ばれたのです。翡翠の声に導かれてデザインしていきました。それからいろいろな石が、私に声をかけてくるようになりました。

　デザインのインスピレーションの源は、石、宝石そのものです。石の声に耳をすませれば、女性が幸せな姿になれるための、ジュエリーを創ることができるのです。私は石、宝石が好きです。石の入手先は展示会や宝石業者ばかりでなく、山や川や海沿いを歩いて、きれいなものを探し出したりします。最近では研究のために、石川県赤瀬のブルーオパールを探しに行きました。日本各地でオパールは比較的普通に産出しますが、青いオパールはあまりありません。石が採れる所ならどこでも興味があります。鍾乳洞探索や海底探索……。

　今回掲載した作品について説明します。ほとんどの作品にタイトルを付けています。

　最初に紹介されているのは「RECITING」、英語で聞かせるといった意味のreciteの進行形です。石の唄を聞いたことがありますか? この作品は、ロードクロサイトの朗唱を形にしたものです。出来上がった時、石の気持ちが分かりました。トップは外してオメガネックレスなどに合わせられます。

　オパールの母岩に乗っているリングは、ボルダーオパールの2本指用のリングです。この作品の名前は「TWO RING TWO LINK」。オーストラリアのボルダーオパールのデザインアワードで14年に優勝した作品です。地上では三日月を見上げるコヨーテが宇宙に向かって吠え、オパールの裏側では北斗七星が輝いています。リングはオパールの母岩に置くと、写真のようにオブジェになります。

　フレームに収まっているペンダント兼ブローチは「赤富士」。北斎の『赤富士』をイメージしています。メインの宝石はマダガスカル産のガーデンクォーツ。ガーデンクォーツとは、クォーツの中のインクルージョンが、風景のように見えるものです。遊びでパラジウム製のイーゼルを作ってみました。

　宝石の輝きはカットで決まります。ラウンドのフォルムのダイヤモンドリングと長方形のクォーツリングは、ドイツの宝石カッティングアーティストで、石が最も美しく見えるカットを生み出すムーンシュタイナーがカットした石を、用いています。クォーツはブラジル産で、トルマリンが内包されています。

　大ぶりなリングの赤茶の円形の石は、中国雲南省の四大宝石の一つ、石林彩玉です。石林彩玉はその名の通り、石林で産出するアゲートです。石林は雲南省の中東部に位置し、石の林のようなカルスト地形で有名で、ユネスコの世界遺産に指定されています。私は、中国昆明国際石博覧会に招待されたのが縁で、この石に興味を持つようになりました。このアゲートの特徴は彩度の高い赤、オレンジ、黄色、緑など多様な色が複雑に混じり合っていることです。

　日本の宝石学会では、研究発表をしており、今年は学会誌にレビューも書きました。

リング K18YG・ボルダーオパール・カラーダイヤ
モンド。オブジェのベースはオパールの母岩。

ペンダント K18YG・K18WG・ガーデンクォーツ・
サファイア。ブローチとしてもオブジェとしても楽
しめる。イーゼルはパラジウム。

「RECITING」のトップ。

すべてリング。上から／ K18YG・石林彩玉・ク
ロムスフェーン・ダイヤモンド。下の2点は、ムー
ンシュタイナーとコラボレーションのリング。
K18WG・K18YG・トルマリンインクォーツ・カ
ラーダイヤモンド。トルマリンインクォーツは
14.54ct。K18WG・K18YG・ダイヤモンド・ブラッ
クダイヤモンド。センターのダイヤモンドは
0.70ct のスピリットカット。

川添 微
Kawazoe Honoka

1991年からアジアを中心に旅し、さまざまな石に出会う。インドネシア・バリ島でオニキス、水晶、ラピズラズリなどの加工に関わり、オーストラリアでオパールの販売を行う。93年、コロンビア産エメラルドの輸入会社に就職。エメラルドの採掘、研磨、加工に携わる。98年ニューヨークを拠点に制作を開始。2001年 GIA G.G. 修了。04年アトリエをバリに移す。年2回ほど帰国し、東京のギャラリー、百貨店などで個展を開催。著書『HONOKAのエメラルド』(求龍堂)。

山口遼・Recommendation

微と書いて「ほのか」と読む。いかにも可憐で繊細な日本女性らしい名前だが、ほのかさんのやっていることは、微どころではない。彼女の作るジュエリーは、基本的にはエメラルドの原石をそのまま嵌め込むという大胆なものだ。

20歳の頃からバリ島でオニキス、ラピスなどの加工を始め、その後オーストラリアでオパールの採掘や研磨に従事したと言う。1993年に日本でエメラルドの原石の輸入会社に勤め、女性としては希有なエメラルドのバイヤーとなって、南米のエメラルド鉱山でまたもや採掘に加わる。まあ、その行動力には驚く。その後、ニューヨークで宝石鑑定士の資格を取り、結婚もあって、ニューヨークを中心として活動を始

めた。ご存知の通り、コロンビアのエメラルド鉱山は、男でもうかつには近寄れない所だ。そこに若い女性の身で乗り込み、原石を入手して、それをほとんど研磨しないままでジュエリーに仕立て上げる。危なくないのと聞くと、私が金主だから、皆で保護してくれるとケロリと言う。写真からも分かる通り、磨き上げたエメラルドとは完全に異なる、野性味のある大胆なジュエリーが出来上がる。

日本での活動は、まだスタートしたばかり、一部の百貨店で扱われているらしいが、もう少し知られてもよいだろう。2004年頃から、バリ島のウブドの町に工房を移して作品作りに励んでいると言う。これからが楽しみな一人である。

ブローチ「Merapi 2006」K18YG・K18WG・エメラルド。45.01ct コスクエス鉱山。ネックレス「What is Christmas for you?」K18YG・エメラルド。44.50ct ムゾー鉱山。リング「地からの光」K18YG・K18WG・エメラルド。12.32ct チボール鉱山。エメラルド原石を支えるゴールドのテクスチャーやフォルム、メレのあしらい方が独特。身につけられるコンテンポラリージュエリーと言える。

川添 微
Style File Interview

高校時代、サラブレッドの目の美しさに魅せられ馬術に夢中になり、獣医を目指して獣医大学を受験しました。入学してみると、想像とは違う世界。何をして生きるのか分からなくなり、20歳の時、大学を中退してリュック一つで日本を出ました。

一体自分は何に興味があるのだろう、好きなのだろうと自問自答しながら旅し、ある時、思い出したのが子どもの頃から好きで拾っていた石のことです。私は遠足やキャンプに出かけると石を拾い集め、楽しい思い出を記憶に留めておくために手元に置いていました。

バックパッカーとして旅行したバリ島ではオニキス、ラピスラズリ、水晶の加工を学び、オーストラリアではオパールの採掘、研磨に携わりました。その後、日本に戻り、エメラルド原石の輸入会社に就職。6年間バイヤーとしてコロンビアの山で採掘、研磨、加工の仕事をしました。女性の私に、会社の重要な業務を指名してくれた社長には今でも感謝しています。よく怖くなかったか、などと聞かれますが、危険な目にあったことは一度もありません。長年通っているので、いつでも家族のように歓迎してくれます。

無数のエメラルドの原石に触れているうちに、いつしか自分でデザインしてジュエリーを作りたいと思うようになりました。25歳の時、その思いが沸騰点に達し、宝石の基本を学ぶため、ニューヨークへ渡り、GIAニューヨーク校で宝石鑑定士の資格を取得しました。そして、それまで思いに秘めていた「エメラルド原石の形を生かしたジュエリーデザイン」に取り組ん

でいき、30歳の時、思春期を過ごした高松市のギャラリーで初個展を開催しました。今は、ニューヨークで結婚した夫と2人の子ども達、そして漆作家の母とバリで暮らしています。

毎年1回コロンビアにエメラルドの原石を仕入れに行き、原石が届くとバリの自宅のアトリエで制作に集中し、日本で年2〜3回、個展を開くというのが年間のスケジュールです。バリは隣近所の付き合いが深く、村全体がファミリーという感覚なので、私と夫が仕事で不在の間、村人が子ども達の面倒を見てくれます。暮らしやすい場所です。

私自身が手を動かし制作するものもありますが、多くは私がデザインを考え、インドネシアの職人に細工を発注し、物によっては日本の職人に頼んでいます。デザインの原点は、エメラルドです。エメラルドの原石は、カットが個々違うので、その石の魅力を引き出すためのデザインを一つずつ考えます。またバリの大自然からも多くのインスピレーションを受けます。

デザインのこだわりは、エメラルドの特性であるインクルージョンを魅力的に見せることです。通常、インクルージョンは輝きや美しさを損なうと捉えられ、その部分を取り除くのですが、私はインクルージョンこそが宝石の個性であり、天然の証拠で、魅力だと思っています。

作品を手に取っていただければ、エメラルド原石が持つ、自然のエネルギーをダイレクトに感じ取っていただけると思います。

ネックレス「Dream in the bottle」K18YG・K18WG・
エメラルド。29.82ct コスクエス鉱山。リング「バナ
ナの蕾」K18YG・エメラルド。7.89ct コスクエス鉱山。

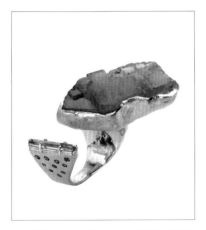

リング「Dark side of the moon」K18YG・K18WG。
エメラルド。50.05ct ムゾー鉱山。

ブローチ K18YG・エメラルド。「The sun in the
rain」7.60ct コスクエス鉱山。

上から／パリ島のアトリエで作業する川添さん。コロ
ンビアの採掘現場から出てきたばかりなので、顔が土
やほこりで真っ黒。採掘人の視線を背に、黙々と原石
を選ぶ。

山本 実紀
Yamamoto Miki

中学高校時代アメリカへテニス留学。学習院大学を卒業後、
GIA ニューヨーク校で G.G. とデザイン課を修了する。帰国し、
2014年「KALMIA」を立ち上げ、15年初個展を京都で開催。
以降、京都と東京で定期的に展覧会を開催している。オー
ダーによる制作も可能。

山口遼・Recommendation

　山本さんのジュエリーを一言で言えば、放胆無比ということだろうか。ほかのところでも書いたが、子どもの頃から富裕な環境で育ち、ジュエリーを日常のモノとして捉えてきた女性の作るジュエリーは、どこか違う。感覚が異なるのか、新しい可能性が生まれるのではと期待している。

　山本さんの作るジュエリーは、写真からも分かる通り、ジュエリー作りという金属加工と、全く他の工芸に使われる素材との組み合わせにある。伽羅木に漆をかけたり、白珊瑚を彫ったり、赤銅、蒔絵、螺鈿などを好き勝手に使う。しかも、そうした不思議な素材が必要になると、すべて一流の作家の所まで自分で行って、調達するというし放題、良く言え

ば縦横無尽というのが彼女の特徴であろう。

　彼女の経歴は不思議である。テニスプレイヤーになろうとして渡米し、養成学校に入るが怪我をして17歳で断念する。その後、日本に戻って学校を終えるが、ジュエリーの世界に目覚めると、今度はニューヨークに渡って GIA で G.G. とデザインコースを修了し、14年、自分のブランド KALMIA を立ち上げた。

　写真からも分かる通り、放胆さと細部へのこだわりがただ事ではなく、複雑さと繊細さが入り交じっているのが彼女のジュエリーである。

　まだ自分でコツコツと売っているだけだが、これから広いジュエリーの世界に出て、放胆さを発揮してもらいたい若手である。

リング「三色団子ペアリング」上／（男性用）
Pt・サファイア・カラーチェンジガーネット・
ピンクトルマリン・ダイヤモンド・七宝。（女性用）
Pt・ピンクトルマリン・ムーンストーン・グリー
ントルマリン・七宝。イヤリング K18YG・黒檀・
ダイヤモンド・アコヤ真珠・ムーンストーン。

山本 実紀
Style File Interview

ジュエリーとの初めての出会いは、4歳の時でした。私の母はジュエリーが大好きで、母のジュエリーを身につけたり、宝石店へ連れて行ってもらった際に、宝石の原石やルースを実際に手に触れ、虫眼鏡などでまじまじと見た時の感動が、後に宝石に興味を持つきっかけとなりました。

中学生の時から、米国フロリダ州タンパにテニス留学をしていました。素晴らしいコーチとプレイヤーに囲まれ、プロへの夢を持っていましたが、突然の怪我で日本へと帰国せざるを得ませんでした。帰国後、大学在学中に一念発起します。子どもの頃から好きだった宝飾業へと行き着いたのです。大学卒業後は、米国宝石学会のニューヨーク校に入学し、宝石鑑定とデザインを学びました。

宝石鑑定を学ぶうちに、宝石への関心がさらに高まりました。こだわりの一つとして KALMIA では、メインストーンに主に天然非処理の宝石を用います。自然が創り出した状態のままの美しさを持つ宝石を厳選して使います。

個人的に宝石で特に何が好きかと聞かれれば、パパラチアサファイアです。また、サファイア自体はカラーが豊富で、硬度も高く、普段使いにも強いため、デザインに起用しやすい特徴があります。ここに掲載している幅広のリングにもたくさんのカラーサファイアを用いています。お客様にふさわしいジュエリーが作れるよう、多数のルースを保有しています。お客様にはまずルースを選んでいただき、オリジナルのデザインを一つ一つ描き上げていきます。

素晴らしいジュエリーを、最高の職人が持つ技術を生かして制作することがKALMIAの流儀です。素材・作り共に高品質ながら、普段着からフォーマルな装いまで、身につけられるデザインを実現しています。宝石と漆、ゴールドと白檀、日本の伝統紋様など、一般的に意外性のある組み合わせを取り入れることもあります。職人と話し合いを重ね、細部にこだわり、妥協はしません。多くの方が心満たされる高品質な宝飾品を提供します。

忘れてしまいがちですが、素晴らしい宝飾品は、優れた技術を有する宝飾職人がいて初めて成立すると感じています。2015年に京都で開催した初個展「水月の雪華」、こちらも多種多様の職人の方々との協力のもとに実現したものです。石川の輪島塗師、高知の珊瑚職人、京都の仏師、そして「現代の名工」の丸川隆英氏。職人の皆様と過ごすひとときはとても刺激的です。各工房を回り、私が目指すジュエリーと、職人の皆様の持つそれぞれの美学を細かく共有させていただいた上で、実現の可能性を突き詰めていきます。初個展は大勢のお客様にお越しいただき、素晴らしい成果を残すことができ、後の個展へと繋がりました。

ジュエリーは、身につけることで自信に満ち溢れさせてくれる人生の良きパートナーであると同時に、周囲から見た一個人をイメージづけるものでもあります。私自身は、そうしたことを意識した上で、ジュエリーを選び身につけています。

現在、東京の本社と京都を行き来しています。

上／ブローチ　K18YG・オニキス・スノーフレークオブシディアン・ダイヤモンド。中／ペンダントトップ　Pt・ピンクサファイア（非加熱）・ダイヤモンド・オニキス・白サンゴ・シードパール。下／リング　Pt・サファイア（非加熱）・ダイヤモンド・赤銅（模様内 K18、Pt）。

山本さんのデザイン画には職人向けの細かい指示が書き込まれている。

作りにエネルギーを注ぐ

首藤 彩・首藤 いずみ
Shudo Aya / Shudo Izumi

首藤 彩 SHUDO ジュエリー職人 東京造形大学彫刻科卒業。2006年ジュエリークラフトシュドウ入社。2011年国家技能検定貴金属装身具制作1級取得。17年技能グランプリ2位受賞。「AYA」コレクションを展開。

首藤 いずみ SHUDO ジュエリー職人 2003年ジュエリークラフトシュドウで修業を始める。06年愛知県知事表彰を受ける。09年 国家技能検定貴金属装身具制作1級取得。10年職業訓練指導員免許取得。14年ジュエリー・リモデル・カウンセラー取得。「Spring by S」を展開。

――――――― 山口遼・Recommendation ―――――――

　近年、ジュエリーの製作面での女性の進出が顕著だが、姉妹そろって作り手というのは、この首藤姉妹だけであろう。

　名前からも分かる通り、二人は名古屋の名人、首藤治さんのお子さんである。おそらく彼の工房で厳しく指導を受けたのだろう。二人が作る作品は、彼女たちの年齢を考えると、見事の一語に尽きる。

　彼女たちのジュエリーは、ご覧の通り、全くけれんみのない、真っ向からの正統派のものだ。ただ、作りの細部が父親譲りというか、そっくりなまでに精密かつ繊細である。デザインはほとんどが具象だが、ジュエリーにする時のひねり具合が実に面白い。右の写真を見ればお分かりいただけるだろう。この本で取り上げた女性たちの中で、最も正統派といえるだろう。普通に売れるジュエリーでありながら、個性を出すという、最も難しい課題を見事にクリアしている。

　姉妹でも、私見ではあるが、お姉さんの彩さんのほうはデザインとか企画に優れ、実作では妹のいずみさんが優れている。今のところ、姉妹の作品は父親のブランドであるジュエリークラフトシュドウの作品として販売されているが、おそらく近い将来には、二人の独立したブランドとして、親離れしてゆくものと思う。そうした時に、どのような方向に展開してゆくのか、彼女たちの作品を見るたびに、今後が楽しみだなと、いつも思っている。

上／3点のブローチ「FACE BROOCH」[V] K18YG・
ダイヤモンド／[EYE] K18YG・アメシスト・ダイヤ
モンド。首藤彩さんのコレクション AYA。単独でも3点組み合わせても、自在につけられる。

下右／リング「Spring by S」K18YG・K18WG・
ダイヤモンド。首藤いずみさんの作品。手の加え方で変化する地金の表現の可能性が見えて面白い。
下左／リング「CAVE RING」K18YG・コロナクォ
ーツ・ダイヤモンド。きれいと思えるコロナクォ
ーツに出会えた時にだけ作る洞窟シリーズ。AYA。

首藤 彩
Style File Interview

父の影響で幼少期から美術が好きでした。職人の父がいつもそばにいたこともあり、ジュエリーは、物心ついた頃には身近な存在で、幼い頃は、妹と一緒に父が作ってくれた髪飾りをしていました。

高校、大学では彫刻を専攻し、木彫の作品を作っていましたが、ある時、ルネ・ラリックやJARの作品を見て、ジュエリーでもこのような表現の世界があるのかと衝撃を受け、ジュエリーに興味を持つようになりました。

この仕事に就く決め手となったのは、父が作った鳥のブローチを手に取って見せてもらった時。手のひらに乗るその小さなジュエリーの持つ圧倒的な世界観を感じ、私もジュエリーで自己表現できるようになりたいと思いました。

私はデザインと製作の両方を行います。製作は意外と力が必要で、体力的に大変に感じることもありますが、作りがわかるからこそ実現できるデザインや、自身も身につける対象であるという視点でデザインを考えることができるという両方の要素を持ち合わせていることは、唯一無二の財産だと思っています。

まだまだ成長過程ですが、大学を卒業してから12年間父のもとでハイジュエリーの制作に携わってきた経験を生かし、私の名前で展開する「aya」では、シュドウのクオリティとアイデンティティを感じるコレクションでありたいと思っています。

デザイン面では、人によってそれぞれの捉え方で楽しんでいただけるようなアートやファッション性のある抽象的なデザインをしたいと思っています。「フェイス・ブローチ」と名付けた3つのブローチのセットは、TPOに合わせていろいろなつけ方ができるブローチを考えてみました。フルセットでしたらシンプルな装いにお洋服をカンバスに見立て、絵画のようにつけていただくと素敵ですし、もう少しラフにつけるのなら、V字のブローチをボレロの留め具のようにつけたり、ブラウスやワンピースの胸元につけてお洋服のデザインの一部に溶け込むようにつけても素敵だと思います。目のピンブローチはブラウスの丸襟やピアスとしてもおすすめです。ブローチというアイテムは、融通が利かないイメージが強いですが、あえて多様なつけ方ができる形やセットタイプを考えてみました。

宝石はどんなものでも好きで、見れば見るほどそれぞれの魅力に惹かれます。

最近好きになったのは、コロナクォーツという水晶の一種で、中心が太陽のコロナのような模様が現れているものです。本当にきれいなものはめったに見られないのですが、この誌面に掲載していただくことになったので、1点制作しました。それが藍色を含んだコロナクォーツを用いた「ケーブ・リング」です。深い青の部分に洞窟に広がる神秘的な雰囲気を感じ、デザインしました。デザインを損なわないよう爪の代わりに、コロナクォーツをダイヤモンドの枠で留めることでリング部分まで続くフォルムと一体化し、指輪全体を一つの造形と捉えられるように作りました。

首藤 いずみ
Style File Interview

　子どもの頃からジュエリーを生活の一部として感じながら育ちました。父の仕事に憧れていたので、迷うことなく、ジュエリー職人という仕事を選びました。ジュエリークラフトシュドウに入社して15年になりますが、ひたすら技術の研鑽に努めてきました。その甲斐あって、国家技能検定や職業訓練指導員、オーダージュエリーや接客に的確に応じるためのジュエリー・リモデル・カウセラーなどいくつかの資格を取得できました。

　技術が向上するほど、自分が作りたいものの完成度が高まり、満足できるものが作れます。貴金属や宝石で不自然ではない流れを作り出すのは簡単でありませんが、美しい流れとどの角度から見てもバランスの良い形のジュエリーを実現したいです。私もジュエリーを身につけますので、女性ならではの視点や感覚を生かせます。身につけた時にどんなバランスになるのだろう、サイズ感はどうだろう。女性の作り手はリアルにジュエリーを感じ取れるところがメリットではないでしょうか。

　私自身は基本的にシンプルなスタイルが好きなので、その時見せたいジュエリーがアクセントになるような服を選びます。

　私は父に似て、動物や植物が大好きで、ジュエリーでも可愛い動植物のモチーフをよく用います。ここに掲載している花のリングは、シロツメクサがモチーフです。子どもの頃、シロツメクサを積んで編んだ思い出があります。その頃の純粋な気持ちを大人になっても忘れずにいたいという思いで、リングの題材にしました。あまり派手にならないように、花弁の部分はホワイトゴールドで一枚一枚打ち出しをしてパーツを作り、中心の軸部分から生えているように仕上げました。アームは、シロツメクサの茎で作ったリングや冠をイメージしています。立体的にふんわりと編んだ形状にすることによっていろいろな角度から見たリングの雰囲気を楽しめるようにデザインしました。

　ジュエリーのインスピレーションの原点は、自然界の生命力です。木の幹、花、光が織り成す陰影、自然の偶然によって形作られた曲線や色味……。蔦の茎や葉は特に好きでよく用います。そうしたものから人の心を動かし癒す形を表現します。身につけた時、ワクワクとした気分を感じていただけるものを制作したいです。

　私は父の作品を見ながら仕事を学んできましたが、父のデザインしたジュエリーの制作は、見た目以上に高度な技術を必要とするため、やりがいもあり、仕事を任せられるといつも謎解きを始めるように取り掛かります。作っている最中も常に楽しく、難しく悩みながらも、完成した時は謎が解けたかのようなスッキリ感があります。こういう仕事の一つ一つがジュエリー職人として成長するための糧になっていると思います。

　父と一緒に作ってきたジュエリーや、父がデザインし手がけたジュエリーは、私自身が所有していなくても一つ一つが宝物のような存在です。いつまでもこの世に残っていて欲しいと思っています。

石井 稚子
Ishii Wakako

画家・デザイナー　WAKAKO GRACE という名で活動。1992年近畿大学卒業。99年エンゲージリングを自作するため、彫金の勉強を始める。2002年ジュエリーブランド「プリンセスジェム」を立ち上げる。03年油彩画の初個展を開催。05年百貨店のオリジナルブランドの制作に携わる。顧客対象の展示会でデザイナーとして参加。06年貴金属装身具制作1級試験合格。13年株式会社 TW トレジャー設立。ジュエリー絵本『サーカスぞうのライリー』を制作し販売、大阪リーガロイヤルホテルにて出版記念イベントを開催。15年より大阪を中心に有名百貨店で展示販売会を行っている。

山口遼・Recommendation

　石井さんはユニークである。ジュエリーをジュエリーだけとして売るのではなく、そのジュエリーを取り巻く話、あるいは童話に近い絵画を自ら描き、絵あるいは本と共に販売するという活動をしている。

　彼女は大学を終えた後で、父親の友人の勧めもあって本格的に絵画を習う。同時に、大阪の高名なクラフトマンの所で修業、ジュエリー作りを学ぶ。当然のことながら、彼女の作るジュエリーは、ほとんどが具象の極めて絵画的なものである。紋章、小動物、人物像などで、抽象と呼べるものはほとんどない。彼女は自作を「ジュエリー絵本」と呼び、絵画を入れた額縁の中に、ジュエリーを嵌め込んで、ジュエリーとして使わない時には完全な絵画として使ってもらいたいと言う。ブローチをフレームに入れたり、物語を作るのが好きなようだ。

　装身具制作の1級試験にも合格しており、自作もかなりできるようだ。作りの上で、重視しているのは磨きだと言う。いかにも女性らしいことで、立体感のある動きを、微細な表現で表していることは、作品からも理解できる。ここで紹介しているピンブローチのトリの部分も、自分で琥珀を削って作ったと言う。

　目下のところ、主に関西の百貨店を中心に販売していると言うが、もう少し作品数を増やして、東京へも積極的に進出してくることを期待したいデザイナーである。

すべてブローチ「アヒルとたまご」K18YG・コ
ハク・バロックパール・ダイヤモンド。「ユニコー
ン」K18YG・バロックパール・ダイヤモンド・
エメラルド・サファイア。「りすと木の実」
K18YG・ルビー・白蝶貝・サファイア。「可愛い
アヒルの子」K18YG・SV・コハク。

石井 稚子
Style File Interview

2013年に発売したジュエリー絵本『サーカスぞうのライリー』は私の代表作です。発表にあたり「ジュエリー絵本」という名称は商標登録しました。オリジナルのトランクケースとボックスの中にゾウのブローチと絵本が収まっているもので、ブローチのモチーフは絵本の中の主人公、ゾウのライリーです。18金にパライバトルマリンとアメシストを用いたタイプと、シルバーのものがあります。

絵を描くようになったのは、大学を卒業後、自室にアフリカを再現したいと思い立ち、ヒョウやオウム、砂漠に落ちる夕陽などをカーテンに描いてみました。それを父の友人が見て、絵を勉強するように勧められ洋画家に紹介されました。

その後、結婚することになり、エンゲージリングを探して回ったのですが、気に入ったものが見つからなくて、自分で作ろうと彫金教室に通い出し、それがきっかけで、今の仕事をするようになりました。自分の指輪が欲しくて作りを始めたくらいなので、ジュエリーの仕事は女性に向いていると思います。好み、ボリューム感、つけたいシーンなどお客様の立場に立ってご提案できます。

私はデザインから作りまでを一貫して行うので、自分が頭に描いているものを具体化できるのが強みです。特に磨き、繊細な表現、仕上げ、立体感、微妙な動きの出し方にこだわりがあり、作品全体から醸し出す雰囲気も大事にします。リスや小鳥など小動物のモチーフなら、表情や動きを細かく表現します。マリリン・モンローやマイケル・ジャクソン、ピエロ

などをイメージしたブローチを制作したことがありますが、人物を表現する場合は、人体のしなやかさや、キャラクターの持ち味、洋服のシワなどを丁寧に描写することに力を注ぎます。

「プリンセスジェム」というブランド名には"プリンセスが最後に手にするジュエリー"という意味を込めています。いろいろなジュエリーを手にしてきて飽きてしまったお姫様が最後に選ぶ遊び心たっぷりのジュエリー、そんなイメージで、思わず笑ってしまうようなデザイン、愛すべきキャラクターも少なくありません。

ここで紹介されているアヒルのブローチは、琥珀を自分で削って形にしました。自分の殻を破ろう！というイメージです。リスのブローチは、食いしん坊のリスが美味しそうな木の実を見つけて得意げな表情をしている瞬間を表現しました。お腹の部分は白蝶貝を削りセットし、毛並みはメス刃で彫りを細かく入れました。ユニコーンのブローチは、このバロックパールを見た瞬間に思い付いた馬の形から発展したものです。馬具を付けた馬よりも夢を与えてくれるユニコーンがふさわしいと思い、金の角や飾りを加えました。

お金を出せば良い宝石は手に入りますが、その宝石を物語の主人公にすることで、より身近に大切に感じていただけるような、そして誰かに語り伝えたくなるような、身につける人にとって特別な思い入れを持てるジュエリーになって欲しいと願って制作しております。

ブローチ「プラウド」K18YG・K18WG・Pt・ダイヤモンド・フェザーパール・白蝶貝・エメラルド。王家の紋章をイメージして制作。天使、ユニコーンは白蝶貝を削って作り、王冠、リボン、百合の紋章、唐草、斧、月、星をそれぞれ作り上げ、セットしている。ブローチを額縁の中のお城にセットすると、インテリアとしても楽しめる。

リング「インフィニティーリング」Pt・ダイヤモンド・ルビー。宇宙空間をイメージした球体に星とダイヤモンドをちりばめ、中心に三角形のルビーを配した独創的なリング。

ジュエリー絵本『サーカスぞうのライリー』ブローチK18WG・K18YG・パライバトルマリン・アメシスト・白蝶貝。オリジナルのトランク付。ボックスタイプにセットされている『サーカスぞうのライリー』のブローチはやや小ぶりでシルバー製。

デザインと製作を一貫して行う石井さん。

五味 和代
Gomi Kazuyo

社会人になって彫金に出会い、都内の彫金教室で制作を始める。日本の伝統技法である杢目金（もくめがね）を取り入れ、金属の魅力を生かすデザインの創造に取り組んでいる。自宅に本格的な工房を設置し、主にオーダーを受けて制作している。日本ジュエリーデザイン協会第26回公募「2010年日本ジュエリーアート展」に入選。

山口遼・Recommendation

　五味さんのジュエリー作りで、彼女が大事にするのは金属加工だ。しかも最も興味があるのが、杢目金だというのだから驚く。この杢目金というのは、江戸中期から日本で発達した金属加工で、色合いの違う複数の金属を、加熱して溶着させ、叩いたり削ったりして、表面に木目のような模様を浮かびださせる技法である。結構力仕事で、五味さんのような可憐な女性とはイメージが合わないものだ。

　五味さんは、昼間は日本人なら誰でも知っている大企業の社員であり、夜、家に帰ってからこつこつとジュエリー作りに励むという、非常にユニークな生活を送っている。最近の女性の大胆さ、気丈さを示すものだ。しかも、会社員の傍ら、彫金教室で学

びはしたものの、ほとんどが独学に近い方法で技術を習得したというのだから凄い。

　彼女の作るジュエリーは、ほとんどが金、銀、プラチナといった金属を縦横に混ぜて、木目を表面に出したものが中心で、若干の半貴石などを使う場合もある。その他にも、金属を布に見立てたジュエリーとか、円だけで構成されている、専門的にはキネティックと呼ばれる金属部分の一部が動くものも作っており、どちらを見ても女性の作ったものとは思えない剛胆さが見られる。

　今のところ、自宅の工房で作り、口コミ、展示会で広がり、コツコツと販売しているが、もったいないと思う。ぜひもっと知られて良い作家である。

リング上から／「杢目金」スクエアの石座がデザインの主役。杢目金（K24、K14WG）、石座（K18YG）・トルマリン。カボションのスターサファイアを包み込むようにセッティング。「ストライプ」杢目金（K14WG、SV）・石座（K14YG）・サファイア。細いラインがポイントのリング。「ストライプ」杢目金（K14WG、SV）・石座（K18YG）・ダイヤモンド。筒状のデザインのブローチ／杢目金（K24・K14WG）、コンビ部分（K18YG）。

五味 和代
Style File Interview

　私のコレクションは、杢目金、ストライプ、ソリティア、ルールズというテーマに沿って構成されています。作品群の中心となる杢目金は金属の性質に関する知識が必要です。杢目金は通常、金、銀、パラジウム、銅合金（四分一、赤銅など）を使い模様を出しますが、私は主に24金（純金）、18金イエローゴールド、14金ホワイトゴールドなどの貴金属を使用しています。ジュエリーは美しさのみならず耐久性が大切で、貴金属を使用することで経年変化を最小限に抑えることができるからです。杢目金は、まず金属を何層にも重ね合わせ熱を加えて溶着して一つの塊にし、その後叩く、伸ばす、捻じる、削るなどの工程を経て木目調の模様を出していきます。

　大きなハンマーで金魂を力一杯叩く、真っ赤になっている金属を挟んでヤットコで掴みながら捻じる、など力と度胸がいる作業ですが、金属の性質を知っていれば、女性でもできない仕事ではありません。自分のイメージに沿うように作りますが、二つとして同じ模様になることはありません。それもまた興味深いところです。

　ストライプのリングは、接ぎ合わせという技術を使って、模様を作り出します。杢目金の不規則な模様とは正反対に作り手が制御できる規則的なデザインが特徴です。ソリティアシリーズは、石を主人公にして、アームは柔らかくカーブをつけ、金が宝石に寄り添うデザインにしています。ルールズは、円だけで構成する規則（rule）を持ったシリーズです。パーツが可動したり、どうやって留まっているの？と

一瞬考えさせるようなギミックを取り入れたキネティックジュエリーになっています。既成概念に縛られない自由な発想で作っていますが、身につける人にも自己表現の一つとなって欲しいです。

　このようなジュエリーを制作し出したのは、1998年、夏のことでした。手先が器用なので洋服やビーズアクセサリーを日常的に作っていましたが、アクセサリーは既成のパーツを利用するだけなので飽き足らず、ある日、友人から彫金というものがあることを教えてもらいました。Metal work studio SORA に通い、技術を習得することで、自由に金属を加工できるようになり、すっかり夢中になりました。その後、自宅にアトリエを構えました。私の作品を見た方から注文を頂くようになり、展示会の誘いも増え、仕事として意識するようになりました。

　仕事の大半は、オーダーメイドです。お客様の思いを実現し、その方の日常を幸せなものにできたら嬉しく思います。私はデザイナーで、表現者でもありますが、作品を身につけてくださるお客様が主人公だと思っています。ご注文をいただくと、希望のデザインと一緒にライフスタイルについてもお聞きします。仕事や趣味などから、その方の人物像を具体的にイメージしてデザインを提案します。

　私にとってジュエリーとは自己表現です。ジュエリーは美しくあるべきで、身につけた人の人生を左右するかもしれないほど影響力をもつ大切なアイテムです。そして、制作者の視点から言うと、制作を通して自分が「完全に自由」になれる唯一のものです。

「rules」上から／チョーカー　K18YG。トップが動くデザイン。リング右から／円同士を組み合わせたリング。「Orbit」K18YG。永遠に続くサークルモチーフ。K18YG・ダイヤモンド。

金を溶解し地金を作っているところ。

アトリエで作業する五味さん。貴金属を相手に楽しさと戦いの毎日。「貴金属が持つ独自の色や仕上げによって現れる表情に惹かれる」と五味さん。

企業の中で輝く才能

京都造形芸術大学日本画卒。テキスタイルデザイナーを経て、ジュエリーデザイナーを目指す。1990年ヒコ・みづのジュエリーカレッジを卒業、株式会社柏圭に入社。1996年より「TOMOKO KODERA コレクション」をスタート。プラチナデザインオブザイヤー1996プロダクト賞、JJAジュエリーデザインアワード2004グランプリ、2005年JJA ジュエリーデザインアワードにて日本ジュエリー協会会長賞とプラチナ・ギルド・インターナショナル賞を受賞。HRD Awards 2015インターナショナルダイヤモンドジュエリーコンペティション日本人初のグランプリ受賞。

———————— 山口遼・Recommendation ————————

　小寺さんは、ここに掲げた多くのデザイナーとは根本的に異なる。彼女は、いわゆる企業内デザイナーで、全く自分の想いだけでデザインをする訳ではない。その企業とは、日本を代表するメーカー卸会社の柏圭である。多くの独立したデザイナーが悩む、素材とか資金とかの問題はない一方で、企業が持つ理念とか方向性などに縛られる。幸いなことに、小寺さんと柏圭との間には、そうした食い違いはほとんどなく、自由闊達に活動しているようだ。企業のために働きながら、自分のコンセプトショップを南青山に持つことを許されている。こうした例は日本では聞いたことがない。

　写真からも分かる通り、小寺さんの作品の中心はダイヤモンドだ。まあ、柏圭という企業は、もともと日本屈指のダイヤモンド商であったので、これは当然とも言えるが、彼女自身、ダイヤモンドが最も好きな宝石というだけのことはある。デザインのテーマとするのも、夜空、星、流れ星、雨、桜といった日本

人ならではのものが多い。2015年ベルギーで開催された国際ダイヤモンドジュエリーコンペティションで日本人初のグランプリを受賞した「もみ殻」と題する作品は、日本の女性らしいテーマである。数百個のダイヤモンドを埋めた籾殻を、使う人が自由につけて使うというアイデアは、その繊細さとともに、国際的にも高く評価されたのだろう。

　彼女の経歴はちょっと変わっている。大学を出た後、しばらくテキスタイルのデザイナーをしていたが、自分でピアスをあけた時、初めてジュエリーに興味を持った。そして、専門学校に入り直してから柏圭に入社したと言う。

　ジュエリー作りの上で、重視しているのは、無駄のないフォルム、使い安さ、デザインと機能性とのバランスだと言う。いかにも、企業内のデザイナーとして生きていけるバランス感覚である。これからも詩的で革新的なジュエリーを目指すと言う。大いに期待したいデザイナーである。

「春の雨」ネックレス Pt・ダイヤモンド。デコル
テを覆う豪華なダイヤモンドジュエリー。無色
透明のブリリアントカットダイヤモンドの他に、
いろいろなファンシーシェイプ、イエロー、ピン
クなどファンシーカラーダイヤモンドが用いられ
ている。

すべてリング Pt・ダイヤモンド。上／「星を数え
る」中央／「輪っかじゃないリング」TOMOKO
KODERAの代表作の一つ。リングが「輪っか」
であることにこだわらず、身につけても、オブジ
ェとしても、全方向に美しくあることが意図され
ている。下／「メテオシャワー」

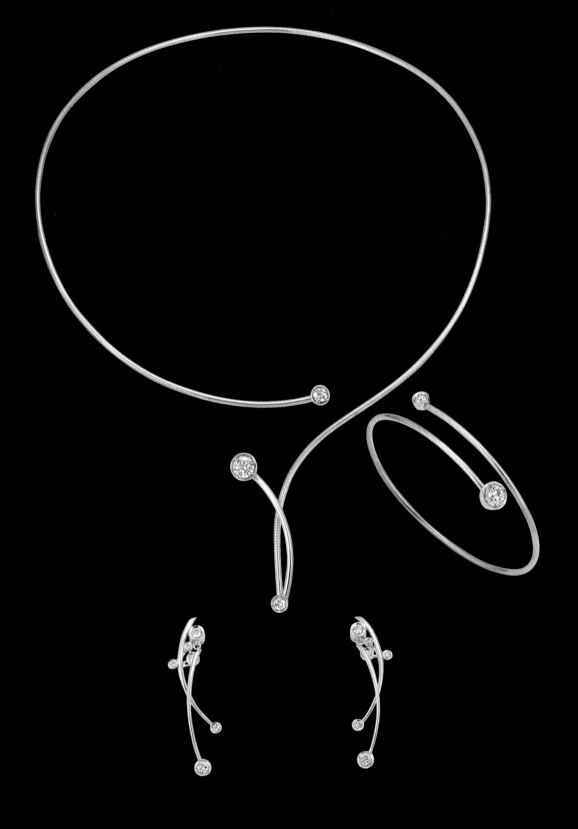

「Through the green」ネックレス、バングル、ピアス　K18WG・ダイヤモンド。ラウンドブリリアントダイヤモンドと細いラインだけで制作された、簡潔なジュエリー。

小寺 智子
Style File Interview

大学では日本画を学び、画家を目指していたのですが、卒業後は普通にテキスタイルデザイナーとして就職しました。何か別のことがしたくて、会社を辞め、しばらく世界を旅行したりしていました。ドイツで、友人宅を訪問した際に、彼女の赤ちゃんがパールのピアスをつけていたのを見て感動し、すぐさま自分も町の宝石店でピアスをあけました。このことがきっかけでジュエリーに興味を持つようになりました。

ジュエリーの専門学校に通いながら、アルバイトでたまたま柏圭のジュエリーの販売をすることになり、その後就職することになりました。しばらくデザイン室でブライダルリングや、コマーシャルジュエリーを中心にデザインしていましたが、1995年、JJA デザインコンテストで入賞しました。その時、作ったのはニューヨークの旅行で印象に残ったアール・デコの建築からイメージしたリングです。大都会にそびえ立つアール・デコのビルの美しさが忘れられず、それを思い起こして形にしました。

代表作の一つで1998年に発表した「輪っかじゃないリング」は、リングが輪である常識や先入観にとらわれないでデザインしたものです。普通、リングのデザインは上部をデザインすることに集約しますが、そうではなく、リング全体の構造で考えてみました。

薬指に約15°の傾斜があるところから、ブライダルコレクションは「15 DEGREES Ring」と名付けました。薬指は斜めに角度が付いています。はめた時、指にすっきり装着できる指輪です。

2015年、HRD インターナショナルダイヤモンドジュエリーコンペティションでグランプリを授かった「もみ殻」は、専門学校の卒業作品を具現化したものです。籾殻からは稲刈りの匂い、脱穀機の音、おばあちゃんの台所から漂うお米の匂い、家族との食卓……日本人の原風景が見えてきます。学生の頃、写真に凝っていました。本物の籾殻を持って、東京の街中で見知らぬ人に声をかけて、その籾殻を肩や腕につけてもらって、モノクロフィルムで撮影しました。「人とジュエリーの関係」を追求したかったのです。私は、紙にどんどんデザイン画を描くタイプではありません。あらゆる角度から考え、熟考を重ね、仕上がりが完成して見える状態になって初めて筆を執ります。

ダイヤモンドが好きです。柏圭に入社して、ダイヤモンドは一見同じように見えるけれど、実は同じカラットで同じカットでも、どれも微妙に違うことを知りました。2ctや3ctの大きなダイヤモンドをセンターに配置し、脇石にダイヤモンドを添えるデザインでは、脇石のダイヤモンドの明るさに注意して、中石が引き立つ脇石を探します。

ジュエリーは見せ方も重要だと思っているので、青山のコンセプトショップのディスプレイも私の考えを反映してもらいました。リングの向き、ネックレスのかけ方、室内で格好良く、ジュエリーが効果的に見える方法を細かく設計者にオーダーしてお店は出来上がりました。

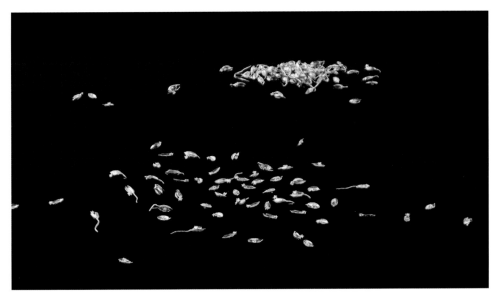

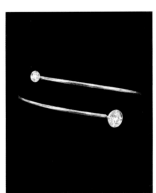

上／2015年、インターナショナルダイヤモンドジュエリーコンペティションにおいてグランプリに輝いた「もみ殻」。右／ニューヨークのトレードマーク、アール・デコのビルからインスパイアされたリング「NY アーキテクチャー」。1995年発表。左上／「Through the green」バングル K18WG・ダイヤモンド。身につけるとこのような雰囲気に。左下／南青山の骨董通りに面したブティック。

MIKIMOTO

高野 曜子　　豊田 美佐子　　吉崎 佐知江
Takano Yoko　　Toyoda Misako　　Yoshizaki Sachie

山口遼・Recommendation

　日本の宝石店で、自社が売るジュエリーの多くを
デザインから起こして自社で作っている企業はほとん
どない。その中でも、ミキモトは群を抜いてユニー
クだ。企業規模が数百億円に達しながら、ほとんど
を自社製というのは、世界でもあまり類がない。

　その製品作りに関わるのがミキモトのデザイン室、
合計で20名のデザイナーがおり、そのうち16名が
女性なのだ。正直に言って、これほど女性が増えてい
るとは思わなかった。私の在任の頃は、半々くらい
ではなかったかと思う。むしろ男性陣のほうが有名で、
ダイヤモンド・インターナショナル賞のアカデミー会
員になった2人、高橋裕二、矢島友博、それに皇室

関係の仕事を一手に引き受けた高畑耕琢などが有名
であった。

　この20名で、コレクションなど量産品の新作、年に
2回ほど開催される特別新作ハイジュエリーの展示
会の作品、さらにはお客様からの注文などに対応す
る。最近、宝飾店でも昔のジュエリーを作り直す仕事
や、お客様から素材を預かって作る仕事が一般的に
なっているが、ミキモトではもう数十年前から、今で
も多くの宝石店がやりたがらない仕事を普通のことと
して行ってきた。それだけ、自社の能力とお客様から
の信頼がなくてはできないことで、それだけでもミキ
モトの日本の宝飾業界における地位の高さが分かる。

ミキモト銀座4丁目本店。1906年より銀座4丁目に店舗を構えた
本店は幾度の建て替えを経て、直近では1974年に建て替えられ、
さらに2017年イメージを一新し、現在のビルに生まれ変わった。

　ここに挙げた3人の女性デザイナー達も、新入社員から十数年の研鑽と勉強を重ねて、やっとデザイナーの肩書きをもらったわけだが、そのレベルの高さは半端ではない。ミキモトで働くことの利点は多くある。百年以上にわたる歴史が積み上げた膨大な資料や過去のデザインを自由に参考にすることができること、さらには多くの仕事があることによって、他では経験できない多くのユニークな商品を作れることだ。ジュエリーのデザインの仕事は、論理のない世界なのだ。美というものは感じ取るものであって、理屈で美が生まれるわけではない。この美を感じ取る能力は、もちろん個人の天分もあるが、数多くの

経験や失敗の中から身につくものだ。その意味で、多くの宝石に触れること、多くのジュエリーを目にすることができるのは、デザイナーとして、最高の勉強になる。そんな機会が多くある宝石店は少ない。その意味で、ミキモトのデザイナー達は幸せである。

　そのミキモトで働くデザイナーが、過半が女性であるということは、ある意味で当然のことでもあり、これこそがジュエリー業界が女性の時代になりつつあるという証拠とも言える。ここに挙げた3人に続く女性達が、ミキモトという希な宝石店を通じて、先輩としての彼女達の経験と知識とを手本として習得し、業界のレベルを上げていくことを期待したい。

106

「Praise to Nature」かぐわしい四季折々の花を
コンセプトに作り上げたジュエリー。上のリング
は夏をイメージ。カラー、プルメリア、バラ、
カスミソウを多様な宝石で表現。K18WG・白蝶
真珠・ダイヤモンド・ガーネット・コンクパール・
ひすい・ダイヤモンド・カルセドニー・サファイア。
下のリングは春をイメージ。桜の花と蕾を表現。
K18WG・アコヤ真珠・コンクパール・クォーツ・
ダイヤモンド・サファイア・ガーネット。

豊田 美佐子

ブローチ　K18WG・白サンゴ・ダイヤモンド・
サファイア・アコヤ真珠・プリカジュール・七宝。
周囲の風景をピンク色に染めてしまう桜を表現
している。実寸天地約 9.5cm

吉崎 佐知江

108

上／リング　Pt・サファイア・ダイヤモンド。下／ヘッドジュエリー　Pt・アコヤ真珠・コンクパール・サファイア・タンザナイト・ダイヤモンド
実寸左右 約8.8cm×奥行 約10.2cm×天地 約5.5cm

Interview
シニアジュエリーデザイナー　高野 曜子

デザイナーの新作発表までの仕事や過程を教えてください。

　1 どのようなコンセプトでコレクションをまとめるのか、意見を出し合い企画内容を決めていきます。企画内容に応じてそれぞれのデザイナーがコンセプトを考えながら鉛筆や色鉛筆でラフデザインを描いたり、必要であればワックス、粘土、針金などでモデルを作りイメージを膨らませていきます。2 たくさんのラフデザインの中から選定されたものを清書します。清書にあたり自分で適切な厚みや立体感を確認したい場合はモデルを作製します。3 クラフトマンにデザインコンセプトと仕様を説明します。4 クラフトマンとのやりとりの中でジュエリーが完成します。

　ミキモトでデザインを描く際に特徴的なのは、日本画用の面相筆を使って清書することです。昔のデザイン画は、今のように側面図を描いていませんでしたが、墨の濃淡や太さ、線の強弱で立体感を表現していました。デザイン室では、入社すると最初に昔のデザイン画をトレースするように指導されます。トレースすることで伝統を身に染み込ませ、その上でそれぞれの時代に何が新しい価値として求められているのかを取捨選択してきたのだと思います。

ジュエリーは主に女性が身につけるものですので、女性のクリエーターの感覚が制作で生かされていると思いますが、具体的にどのような状況で、女性の意見が取り込まれるの

でしょうか?

　デザイナーは、制作のあらゆる工程に関わります。女性として装着したいもの、魅力を感じる形をデザインすることで女性の感覚を発信していると思います。特に装着感に関してはジュエリーを普段から身につけていないと分からないことが多いので、女性の意見が重視されます。ジュエリーですので、華やかさや存在感が求められるのはもちろんですが、同時につけ心地や、毎日安心してつけられるなど、機能的な面も重視されますので、女性としての目線でチェックします。

ジュエリーという仕事は女性にとってどういうものだと思われますか?

　イメージした形がジュエリーとなり実際に身につけた時、自分に足りない何かが補填されたような気がします。

　人の歴史の中でジュエリーはお守りだったり権威の象徴であったりと特別なものでした。今では多くの人達がファッションとしてつけるようになりましたが、ジュエリーは、ファッションアイテムとしてだけでなく"スイッチ"のような役割があると感じています。積極的にならなければいけない時、華やかなオーラが欲しい時など、さまざまに自分を演出するための手助けをしてくれるものだと思っています。思いの詰まったジュエリーが、その感性を感じてくださる方の手に渡り、希望や幸せを共有できるやり甲斐のある仕事です。

Interview Q & A

1 ジュエリーの仕事を始めたきっかけは？

2 ジュエリーとの初めての出会いはいつ？

3 女性がジュエリーの仕事に携わる良い点とは？

4 デザインや作りで重視しているところは？

5 制作のインスピレーションの源は？

110

高野 曜子

1 将来は何かデザインする仕事をしたいと漠然と考えていたところ、縁があってジュエリーデザインの道に進みました。今になって思うと、幼少期に見たルネサンスの絵画の中に描かれているジュエリーに非現実的な魅力を感じていて、その影響が潜在的にあったのかもしれません。

2 宝石との最初の出会いは、幼い頃、母のオールゴールの付いた宝石箱を開けるのが好きでした。

3 魅力的な形を目指す中で、装着感と機能性との折り合いをつけていくことは容易ではありませんが、装着感が実感できること、何に感動するか女性目線で感じることで女性ならではの表現をすることができます。

4 デザインの中に新鮮な要素やちょっとした感動のエッセンスを入れるように心がけています。どんなデザインであっても最終的に自分の腑に落ちる形であるかどうか検証します。

作りに関しては、装着してストレスを感じないような装着感の良いジュエリーにすることに重点をおいています。デザインの邪魔になるようなパーツや金具は最小限に目立たなくするか、できればつけなくても済むデザインを考えます。

5 多くの体験の積み重ねから想を得ることが多いです。海や山、季節の色や匂い、飛行機の窓から見えた風景、宇宙や人間の脳、遺伝子情報など感動したことを入り口にイメージを広げます。

豊田 美佐子

1 学生時代、彫金に出会い、作りの面白さに惹かれデザインにも興味を持ったのがきっかけです。

2 ジュエリーと言えるものに接したのは、入社してからです。

3 美しいジュエリーを常に目にし、関わっているため、ジュエリーに限らず手の込んだ美しいものに目が引き寄せられ美意識を高く持ち続けられることです。

4 デザインを考える時、素材を生かすことを重視します。また、雰囲気や世界観を醸し出すような表現を工夫します。例えば、掲載の桜のブローチは、桜の花があたりの風景をピンク色に染め空気がほんのりと甘く香る情景を描写しています。素材の使い方、立体感や空間の作り方で、全体の空気感や世界観が変わると思っているのでデザイン画を描いた後、自分でワックスを用いて原寸大のモデルを作ります。モデル作りは平面上では想像できていなかった部分や立体になった時の見え方など、イメージを確定する作業でもあり、クラフトマンにデザイン意図や全体像を伝えるために作ります。

5 素材の力・美しさがインスピレーションを引き起こしてくれる時もあれば、思うがままワックスで試行錯誤しているうちにインスピレーションが湧き、形にする時もあります。パールは好きな素材で、さまざまな形や色のパールを眺めていると、イメージが膨らんできます。

吉崎 佐知江

1 ジュエリーデザイナーを目指したのは精緻な物作りに興味があったからです。

2 幼少期、母が身につけていたダイヤモンドのピアス、リングや象牙のブローチなどです。

3 大半のお客様が女性であるためデザインイメージが湧きやすく、また自身の経験を通じて使用感やファッションとのコーディネートなど、女性ならではのきめ細やかな提案ができる点です。

4 お客様のご要望や企画の条件に相応しい提案をすること、素材の特長を生かしその素材の魅力を最大限に引き出すデザイン提案をすること、見る人が楽しくなるような何か目新しいデザイン提案をすることです。掲載のリングは平らな形状で淡色であるサファイアの特性に着目したデザインです。通常見えない裏側の細工が表から見られ、ちょっとした驚きが仕掛けられています。パールの帽子はヨーロッパで貴婦人たちが被る帽子をイメージしました。非対称な形状にパールを繋げてきれいな立体にする点が非常に難しく、図面を何度も描き直し連組み職人と試行錯誤をした結果、ミキモトの高い連組み技術を駆使したヘッドジュエリーという新しいアイテムが完成しました。

5 地球が生み出すあらゆる自然の美や街に溢れる造形的な美を眺めていると、多くのインスピレーションが得られます。旅先での発見や感動もデザインのアイデアに繋がる場合があります。

111

宝飾史の中の女性

女性ジュエラーの時代が来た

文・山口 遼

**作るもつけるも、宝飾史は男性中心
の歴史である**

　現代社会において、ジュエリーと呼ばれるもの
は、その98％ほどが女性のためのものである。
まあ、ほぼ100％と言っても過言ではないだろう。
しかし、その数千年に及ぶ歴史を振り返ってみる
と、産業革命が始まり、ある種の大衆社会がで
き始める 1800年前後までは、ジュエリーの世
界に女性の影はほとんど見えない。これはジュエ
リーを巡る双方の側、つまりそれを使う人と作る
人の側という意味だが、そのどちらにも女性の
影はほとんどない。

　もちろん例外は、特に使う側には、ある。男
に比べると少数ではあるが、女性の君主がいたし、
王様や皇帝に従う、場合によっては引きずり回す
王妃や皇后がいた。英国のエリザベス一世、ロ
シアの女帝エカテリーナ、イタリアはメディチ家
の女性達など、宝石の大パトロンとも言うべき女
性はいた。しかし、その数は男性に比べればは
るかに少なく、18世紀末頃までは、ジュエリー
あるいは宝石というものは、男性を飾るもので
あった。男の権力と魅力を見せつけるもの、そ
れがジュエリーであったと言っても間違いではな
い。

　まして使う側ではなく、作る側を見ると女性の
影は全くない。職人もデザインをする人も、売買
をする商人も、すべて男性であった。まあ、ジュ
エリーを作るのは、力仕事であるという理由もあ

るのだろうが、少なくとも、製造の分野では女
性の影も形もない。

　顧客としての女性の歴史も、それほど古いもの
ではない。女性が自分で使うジュエリーを、自分
の収入を使って自分で買うようになったのは、第
一次大戦で一千万人もの死者を出し、女性が社
会に出て働かなければ、社会が回らないように
なった1910年代のことである。わずか百年前の
ことに過ぎない。こうして市場が女性のものと
なっても、作る側、売る側に女性の姿はほとん
ど見えない。わずかに1930年代になって、カル
ティエ社が一族経営から離れ始めた頃に、ジャ
ンヌ・トゥーサンの名前が見える程度だ。女性
のデザイナーが目立つほどに登場したのは、やは
りアメリカで、1960年代末頃から70年代末にか
けてニューヨークのティファニー社に、アンジェ
ラ・カミングス、エルサ・ペレッティ、パロマ・
ピカソと3人の女性が続けて登場した。

　おや、いよいよ女性の時代になったかと思った

香港を拠点に活動するミシェル・オン。

のだが、それきりであった。1950年代、いわゆるモダンジュエリーがドイツあたりを中心として活動を始めた頃、実験的なジュエリーを作る面で、英国のウェンディ・ラムショウなどを代表として、多くの女性作家が生まれた時期もあったが、商品として宝石市場に影響を与えたり、市場に出て活動した女性デザイナーはほとんどいない。近年になって、中国市場の拡大に伴って、中国系女性のデザイナーが輩出しているが、香港のミシェル・オンや国内では前述の芦屋の稚原かおるを別とすれば、その多くはフランスの JAR などの模倣に過ぎない。

ミシェル・オンの作品。

こうした事実は、実に不可思議である。この原稿を書くに際して、相当な数の資料を当たったが、ジュエリーの創作や販売の世界は、日本も西欧も未だに男性の社会だということだ。もちろん、さまざまなメゾンや宝石商の企業内で、デザインの仕事に従事している女性はたくさんいる。しかし、歴史を作るようなジュエリーを制作する女性は非常に少ない。商品のほとんどが女性のものであるにもかかわらず、こうした事態が現状であることは、いささか理解に苦しむが、事実は事実である。

デビアスの功績、それは女性デザイナーにスポットをあてたこと

西欧のことは置くとして、現代日本の宝石市場における女性ジュエリーデザイナーの現状を見てみたい。戦後日本の宝石市場は、1960年前後までないに等しい。戦後市場のスタートは、戦後の高度経済成長が始まる1960年前後、61年のダイヤモンド輸入自由化に始まる。とは言っても、ジュエリーも顧客も、たくさんいたわけではない。66年に、戦争中に供出させられたダイヤモンドが、政府の手で放出された。おそらく日本でダイヤモンドというものが、あるいは言葉が、一般の人々の目に触れた最初の出来事であったろう。

放出されたダイヤモンドの質は、今ならばほとんどクズに近い低品質のものであったが、人々はダイヤモンドというだけで、徹夜の行列をしたのだ。多くのジュエリーは、ダイヤモンドだ、プラチナだ、18金だというだけの素材中心のもので、デザインは、ほとんど大衆の眼中にはなかった。

それでも、64年にはジュエリーデザイナー協会が発足しており、女性では山田礼子が名を連ねている。この頃、戦後の女性ジュエリーデザイナーを語る時、忘れてはならない2人の女性が仕事を始めていることだ。66年に創業した田宮千穂と、1970年に創業した石川暢子である。ともにデザインの基本が、日本の文様や海外の風景などという単純さはあったものの、既存の宝石店に販売を依存するのではなく、あくまでも自

分の名前で自分の作品としてジュエリーを販売し、成功したのはこの2人だけである。戦後の女性ジュエリーデザイナーとして、その功績は大きい。

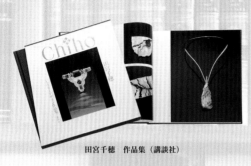

田宮千穂　作品集（講談社）

さて戦後、宝石業界に女性がデザイナーとして、大量に進出した最大の功績は、ダイヤモンド・インターナショナル賞というデビアス社が設定したデザインコンテストによると私は考えている。このコンテストそのものは、1954年から世界を相手に開催されていたものだが、その頃の日本はデビアスの眼中にはなかった。しかし高度経済成長が始まる頃、デビアスは密かに日本市場の調査を始めており、1966年には、広告代理店を通じてダイヤモンドプロモーションサービス、ダイヤモンドインフォメーションセンターなる組織を立ち上げた。まず彼らが手をつけたのは、日本人の冠婚葬祭重視を重く見て、ダイヤモンドの婚約指輪を広めることから着手した。同時に、ダイヤモンド・インターナショナル賞への日本人の参加を呼びかけたのである。

　ここから日本女性ジュエリーデザイナーの活躍が始まる。67年、初めて参加した日本人が、いきなり1人で2点という入賞を果たす。女性では神道ゆふ子である。以後、このコンテストが終わるまでの完全なデータはないが、手元にある67年から86年までの19年間のデータを見ると、信じられないほどの入賞ラッシュが続く。この間に入賞した日本人デザイナーの総数は79名、1人で複数回入賞した人も多いから、全体の入賞数はもっと増える。この79名のうち、女性はなんと50名である。最も多かったのは、1984年で、入賞者25名のうち、日本人は14名を数える。一体、いつの間にか日本人のジュエリーをデザインする能力がこんなに高まったのか、今となっては不思議と言ったほうが正確だろう。

　これにより社会的な関心を呼び、ジュエリーデザイナーという職業が、国内で認知されたのだと思う。

　ダイヤモンドの婚約指輪は順調に伸び、1979年には、取得率60%に達している。今となっては、夢のような時代である。デビアスは、その目的を果たしたのだ。84年、日本のダイヤモンド輸入量は100万カラットを超えた。宝飾品市場は90年には3兆円を超え、女性の職業としてのジュエリーデザイナーは完全に定着した。

1986年オリエンタルダイヤモンド工業発行の図録。

自分の名前を冠したジュエリーで
商売でも成功することを期待して

　しかし、その後のバブル経済の崩壊とともに、市場は激減を続け、業界の夢は雲散霧消したが、ジュエリーデザインにおける女性の地位は確定したかに見える。ただ不思議なのは、このコンテストに入賞した 50 名の女性達の中で、独立したジュエリー作家となった人は数えるくらいで、ほとんどは消えるか、良くて企業内デザイナーとして働いているにすぎないことだ。私ごとで自慢めいたことになるが、私はこのダイヤモンド・インターナショナル賞だけでなく、世界プラチナコンテスト、世界ゴールドヴァーチュオーシ賞の審査員を務めたことがあるが、そこで痛切に感じたのは、コンテストで入賞するデザインと商売に実際に使えるデザインは、全く関係がないことだ。コンテストの入賞作で、これは売り物になるなというデザインは皆無に近い。この女性の入賞者 50 名のデザインが、そうであったというわけではないが、入賞の華々しさに比して、その後の活躍が不十分なのは、どうしたわけなのか、私にも分からない。ただ、女性の仕事として、ジュエリーデザイナーという職業が確立できたことは間違いない。

　最近の日本のジュエリー業界で、唯一、女性でこれは凄いと思うのは、本書でも取り上げている芦屋のギメルを主宰する檞原かおるである。

この突然変異に近い、あまりにも独創的なジュエリーを作り続け、今や世界的に知られるようになった檞原かおるは、もともとダイヤモンドの輸入商として業界に入った。自分が苦労して集めたダイヤモンドが、あまりにも馬鹿げたジュエリーに使われるのを見て、それなら自分で作ろうとしたのが始まりだと言う。デザインとしては、植物、花、動物などの具象を描きながら、使う宝石の質について全く妥協せず、ほとんどが異様なまでに精緻なパヴェの技術を使い、作りの面でも十数名のクラフトマンを使いながら、執念に近い厳密さで作り続ける。その完成度の高さは、今の日本の中では群を抜いている。

　本書に紹介した女性達が、将来伸びるのか、これで終わるのかは私にも分からないが、願わくば、自分の名前を冠して、人の驚くようなジュエリーを作り売るデザイナーとしてもっと名を出してもらいたいと祈念してこの小論を終えたい。

ジュエリーの詳細を読み解く

「輪っかじゃないリング」1998年に発表したこの作品は、リングが"輪"でないことが画期的であり注目を集めた。ダイヤモンドのサイズ、シェイプの選び方など、隅々にデザイナーのこだわりが見える。Pt・ダイヤモンド。（TOMOKO KODERA ／カシケイ）

イタリアのクラフトマンの手作りによるゴールドチェーンネックレスは、円が不揃いのところに人間の温もりが感じられて魅力的である。手にとって触れてみると、そのしなやかさに驚かされる。だんすみよさんのデザイン。K18YG・K18WG・ダイヤモンド。（Pura）

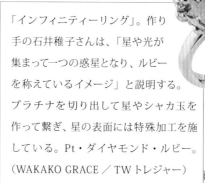

「インフィニティーリング」。作り手の石井稚子さんは、「星や光が集まって一つの惑星となり、ルビーを称えているイメージ」と説明する。プラチナを切り出して星やシャカ玉を作って繋ぎ、星の表面には特殊加工を施している。Pt・ダイヤモンド・ルビー。（WAKAKO GRACE ／TWトレジャー）

山本実紀さんデザインのペンダントトップ。さまざまな宝石を珍しい組み合わせで配置し、立体的なデザインにすることで、中央の非加熱ピンクサファイアの存在が際立っている。Pt・ピンクサファイア・ダイヤモンド・シードパール・白サンゴ・オニキス。（KALMIA）

いち早くラフダイヤモンドの魅力に気づいたという中嶋彩乃さん。大きな爪がダイヤモンドを鷲掴みにするダイナミックなデザインが、中嶋さんらしい。バチカンはラフダイヤモンドと色を合わせたカラーダイヤモンド。ペンダント K18WG・ダイヤモンド。（AYA-N）

大きめの宝石を主役にした「ソリティア」シリーズ。唯一無二の宝石を大切に抱くように柔らかくカーブしたゴールドが包み込んでいる。マットな質感と明るいゴールドカラーがモルガナイトのペールなピンク色を引き立てている。リング K18YG・モルガナイト。（五味和代）

インクルージョンも宝石の個性であり、魅力と捉える川添微さん。欠点として削り落とすよりも、引き立てるようにデザインすることのほうが難しく、それにはクリエイティブな感覚が必要だ。リング「infinite」K18YG・K18WG・エメラルド。ムゾー鉱山。（honoka kawazoe）

シルバーの線で水玉のような形を作り、繋ぎ合わせたネックレス。P67で紹介している作品だが、クローズアップして見ると、地金に細かな彫りが施していることが分かり、デザイナー島田節子さんのこだわりが垣間見える。「水玉あそび」SV・K18 ゴールドプレーテッド。（BIZ）

「マイケル・ジャクソン」ブローチ 顔はアコヤ真珠、髪はシルバーの線、スーツと帽子は赤銅、シャツはホワイトゴールド、ボタンとジャケットの裏地はイエローゴールド、手袋は白蝶貝で制作。K18YG・K18WG・SV・アコヤ真珠・白蝶貝・赤銅。（WAKAKO GRACE／TW トレジャー）

川添微さんのエメラルド・ジュエリーは、原石だけを使うので、どれも一点もの。しっかりとしたゴールドの枠を付けた、プリミティブなニュアンスが新鮮である。リング「碧の音」K18YG・エメラルド。ムゾー鉱山。（honoka kawazoe）

大粒で、珍しい無核の白蝶真珠のお家を背負ったカタツムリ。穐原かおるさんは子どもの頃親しんだ懐かしい物を、希少な宝石を用いてユーモラスな形にしてしまう。ピンズ「カタツムリ」K18WG・白蝶無核真珠・ダイヤモンド・スピネル。（ギメル）

吹田眞輝江さんの新作は大きな水晶に真珠を留め、さらにプラチナの枠にダイヤモンドをセッティングした、シンプルで大胆なデザインのブローチ。透明な水晶とグラフィックな形がマッチしている。Pt・ダイヤモンド・南洋真珠・水晶。（S.MAKIE）

大ぶりのカボションのタンザナイトに、ダイヤモンドを縦方向に添えたシャープなデザインのリング。髙橋まき子さんの作品はどれも緻密な設計による簡潔な美をたたえている。Pt・タンザナイト・ダイヤモンド。（MAKIKO TAKAHASHI COLLECTION）

装飾を限りなく削除した、ミニマルなラインはこのデザイナーの特徴の一つ。カボションの宝石を4本の目立たない小さな爪で留めており、宙に浮いたようにも見える。ブローチ「星月夜」K18WG・アメシスト・オパール・ダイヤモンド。（IMAI kuniko KYOTO）

ホワイトゴールドをスパイラル状に形作り、マット加工を施した部分とメレダイヤの部分がランダムに正面に現れる。力強く気品のある作品。ブローチ K18WG・グレープガーネット・ダイヤモンド。（MAKIKO TAKAHASHI COLLECTION）

オレンジ系の珊瑚を台形にカットしたモダンなペンダント。デザインする久保富子さんは、ほかではない珊瑚のジュエリーの制作に励んでいる。イエローゴールドにメレダイヤを配したバチカンとの組み合わせもおしゃれ。K18YG・桃サンゴ・ダイヤモンド。（クィーンコーラル）

宝石珊瑚の中でも「血赤」と呼ばれるものは特に希少性が高く、「専門業者でも手に入らない」と久保さん。これほど大きな丸い玉は太い枝から成形する。珊瑚の成長は1年で0.15mmだとか。リング Pt・血赤サンゴ・ダイヤモンド。（クィーンコーラル）

真っ白のぷっくりとした丸いシェイプは、白サンゴ。白サンゴといっても桃色が混じったものが多く、均一に真っ白いものは大変希少である。また珊瑚を思い描いた形に研磨することは極めて難しい。ブローチ K18PG・白サンゴ・ダイヤモンド。（クィーンコーラル）

個性的なカラーストーンの形に合わせて螺鈿蒔絵を施して出来上がったペンダント。宝石の美しさと日本の伝統技術が巧みに調和したジュエリー。永坂景子さん作。K18YG・螺鈿蒔絵・グリーンアンバー。K18YG・ラバーチョーカー付。（Kデザイン）

1mm〜5mmの貝の小片を曲線に緻密に配置するのは、相当な集中力を要する仕事と想像できる。仕上げに金粉を蒔いて出来上がる永坂さんの螺鈿蒔絵のジュエリーは美術品の趣をたたえている。ペンダント Pt・螺鈿蒔絵・ダイヤモンド。（Kデザイン）

カラーストーンの品質と色にこだわる能勢利枝さんの作品はどれも明るくて堂々としている。色石の魅力を素直に表したペンダント。「Espoire　明日に向かって」K18YG・K18WG・グリーントルマリン・サファイア・ダイヤモンド。（ジャルダン プランタニエ）

カラフルで多様なカットのダイヤモンドをランダムにセッティングしたブローチ。幹のメレダイヤも豪華。自身でもブローチを愛用する大林智子さんのこだわりが細部に見える。K18WG・ダイヤモンド。（TJコレクション）

注目される、エシカルな素材を用いる脇島明希奈さん。細部に女性らしい遊び心を込めた作品が多く、このリングはガーネットの周囲のダイヤモンドが踊るようにかすかに揺れる仕掛けが施されている。K18YG・K18WG・ロードライトガーネット・ダイヤモンド。（脇島明希奈／アプレ）

2つのハートシェイプのダイヤモンドと、曲線のプラチナのラインがバランスよく調和したリング。デザイナーの芋縄由佳さんが1粒ずつ配置にこだわったことが分かる作品。Pt・K18YG・ダイヤモンド・イエローダイヤモンド。（ロータスジュエル／ロータスコレクション）

スピネルは赤や青があり、能勢さんのお気に入りの宝石。4カ所の爪にイエローゴールドを用いて、ピンクスピネルが浮き立つようにデザインしている。「スピネルコレクション」リング Pt・K18YG・ピンクスピネル・ダイヤモンド。（ジャルダン プランタニエ）

大粒のパールを主役に多様な宝石やフォルムをあしらったリング。宝石1粒ずつの配置を真剣に考えていることが想像できる。リング「Regardez, une étoile filante! 見てごらん、流れ星！」K18YG・南洋真珠・オパール・ダイヤモンド。（IMAI kuniko KYOTO）

大粒のレッドスピネルを中心とし、すべてスピネルで構成されたペンダント兼ブローチ。スピネルのネックレスも合わせて提案している。宝石が大好きだという中嶋彩乃さんの思いが伝わってくる作品。ペンダント兼ブローチ K18WG・K18YG・スピネル。（AYA-N）

能勢さんが展開するコレクションと同じ名のリング。大粒のガーネットを中心に両脇にもガーネットを添え、くるりとダイヤモンドで囲んでいる、花のようなリング。「Jardin Printanier 春の庭」リング K18YG・Pt・ガーネット・ダイヤモンド。（ジャルダン プランタニエ）

ウッディ・アレンの映画『ミッドナイト・イン・パリ』から着想を得たシリーズの１つ。イメージは、"深夜に変貌を遂げ、夜空で繰り広げられる月や星の弾けた様子"。「ディスコムーン」K18YG・ルビー・アコヤ真珠。（AYA／SHUDO）

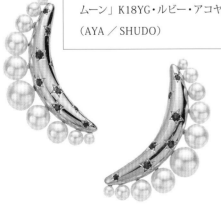

多肉植物や深海の生き物からイメージしたシリーズのピアス。可愛らしいフォルムや色合いをできるだけシンプルに解釈している。手作りした金のパーツに、赤いトルマリンが引き立つ。首藤彩さんの作品。「ボタニカル」K18YG・トルマリン。（AYA／SHUDO）

取材協力・お問い合わせ（順不同）

穐原 かおる
ギメルトレーディング株式会社
兵庫県芦屋市奥池町 36-2
TEL 0797-22-0850
http://gimelgimel.com
E-mail gimel@gimel.co.jp

髙橋 まき子
マキコ・タカハシデザインオフィス
東京都武蔵野市八幡町 3-5-9-1206
TEL 0422-53-8870
http://www.makiko-collection.com
E-mail makiko.t48@nifty.com

久保 富子
株式会社クィーンコーラル
高知県高知市菜園町 1-21 四国総合ビル 6F
TEL 088-821-7228
https://queencoral.com
E-mail 35-jewelry@queencoral.com

永坂 景子
品川宿ぎゃらりー連
東京都品川区北品川 1-24-21
TEL 03-3471-0430 ／ 090-8230-3512
http://shinagawamakie.jp
E-mail kd_nagasaka@yahoo.co.jp

今井 訓子
IMAI kuniko KYOTO Gallery and Studio
京都市上京区烏丸通中立売西入る花立町 486-2
https://www.imaikuniko.jp
E-mail gem@imaikuniko.jp

芋縄 由佳
株式会社ロータスコレクション
兵庫県芦屋市船戸町 3-24-1 MT ビル 5F
TEL 090-2523-4478
http://lotus-jewel.jp
E-mail ホームページのお問い合わせフォームより

能勢 利枝
株式会社北野商店
大阪市中央区東心斎橋 1-17-18
TEL 06-6253-0861
http://www.jardin-printanier.co.jp
E-mail ホームページのお問い合わせフォームより

大林 智子
株式会社 TJ COLLECTION
TEL 03-3498-5980
E-mail toshachisen@gmail.com

脇島 明希奈
株式会社アプレ
東京都台東区上野 5-23-14 グリーンオーク御徒町ビル
TEL 03-5817-8180
http://akinawakishima.com
E-mail info@akinawakishima.com

だん すみよ
Via dei Bardi, 1 Firenze 50125, Italia
TEL +39-0552480071
https://www.instagram.com/pura_firenze/
E-mail purafirenze@icloud.com

吹田 眞輝江
山清堂／株式会社パラゴン
京都市東山区清水 2-207
TEL 075-525-1470
http://makiesss.com
E-mail m.suita@dream.com

島田 節子
BIZ
山梨県甲府市中央 2-9-12
TEL 055-227-5927
http://setuko.jp
E-mail biz@setuko.jp

中嶋 彩乃
東京都中野区中野 6-32-9-306
TEL 03-3360-3161
http://onlyone-aya.com
E-mail aya-n.jewel@nifty.com

川添 微
香川県高松市国分寺町新居 1300
TEL 087-874-3016
http://honoka.us/
E-mail info@honoka.us

石井 稚子 (WAKAKO GRACE)
株式会社 TW トレジャー
大阪市東成区玉津 1-9-27 ベル・アーバニティ玉造 902
TEL 06-4306-4005
https://princess-jem.com
E-mail princessjemjapan@gmail.com
info@princess-jem.com

山本 実紀
KALMIA
東京都世田谷区奥沢 4-31-12
TEL 080-5891-7193
http://www.kalmia-ifl.com
E-mail m.kalmia.4018@gmail.com

首藤 彩／首藤 いずみ
ジュエリークラフトシュドウ
愛知県名古屋市千種区末盛通 2-14 加藤ビル 1F
TEL 052-751-0811
◎2019 年春、下記に移転予定
愛知県名古屋市港区遠若町 3-63-4
TEL 052-654-8248
http://jewelry-shudo.com
E-mail info@jewelry-shudo.com

五味 和代
https://www.kazuyogomi.com
E-mail info@kazuyogomi.com

小寺 智子
TOMOKO KODERA CONCEPT SHOP
東京都港区南青山 5-10-1 二葉ビル 1F
TEL 03-3486-1051
http://tomoko-kodera.com
E-mail shop@tomoko-kodera.com

ミキモト
TEL 0120-868254
https://www.mikimoto.com
E-mail ホームページのお問い合わせフォームより

この本を監修して思うこと

　この女性デザイナーだけを集めた本のために、編集の渡辺さんと一緒に十数人のデザイナーと数社のやや大きめな企業とに面談し、その作品を見た。結果を言うと、大胆不敵、面白い、これからはこうした人々をどう活かしてゆくかが、宝飾業界の将来を決めるだろうという感想である。

　もちろん、言うまでもないことだが、ここに載せたすべてのデザイナーが将来も活躍するという保証はないし、すべての作品が売れるものではない。この他にも私の知らない、優れたデザイナーが落ちてしまっているだろう。

　ジュエリーのほとんどのものが女性を対象とした商品であるにもかかわらず、そこに従事する人のほとんどが男性である、特に日本においては、男性というよりも、おじさん達であるという不思議な世界の歪みを、一番実感しているのが彼女達ではなかろうか。彼女達の作品には、美しいものを作ろうという熱意があるのは当然だが、その陰には業界の現状が壁となっている。

　新しいデザインが生まれ、それが商品となってゆく過程において、誤解されていることが一つある。実際の商売の場において、素晴らしいジュエリーデザインが生まれたとしても、それがそのまま商品となるという保証はない。多くのメーカーや卸業者で、何を作るか、つまりどのデザインを選ぶかはデザイナーではなく、ほとんどが社長かその奥さんか、少し大きな企業であれば、デザイン選定委員会などで年配男性の集まりである。それで素晴らしいジュエリーが生まれれば世話はないのである。

　何よりも業界にとって大事なのは、そうした男性がもっと勉強をし、ジュエリーを商売の道具だけとして考えるのではなく、より愛情と関心を持って扱うこと、そしてデザイナーの皆さんも、現状に甘んじることなく、さらなるレベルアップを志していく時に初めてジュエリー業界の明るい未来が開けるのではないかと思う次第である。いかがだろうか。　期待しています。

山口 遼

山口 遼（やまぐちりょう）
宝飾史研究家。株式会社ミキモト常務取締役、株式会社ジェムインターナショナル社長を経て、現在株式会社リオ・インターナショナル代表。『ジュエリーの世界史』（新潮文庫）、『すぐわかるヨーロッパの宝飾芸術』『ブランド・ジュエリー30の物語—天才作家たちの軌跡と名品—』（東京美術）、『TOP JEWELLERS of JAPAN—日本のトップジュエラー』（繊研新聞社）など著者多数。

編集／執筆	Editing / Writing	装幀／クリエイティブディレクション	Creative Direction
渡辺 郁子	Watanabe Ikuko	渡辺 剛	Watanabe Go
監修／執筆	Contributor	撮影	Photography
山口 遼	Yamaguchi Ryo	J FOTO & IMAGE	J FOTO & IMAGE
校正	Proofreading	デザイン	Design
町田 朱美	Machida Akemi	榊原 泉	Sakakibara Izumi

画像提供
撮影 大久保 圭二 （五味 和代さんポートレイト）

Brand Jewelry 特別編集

日本の女性ジュエラー 20の表現
JAPANESE WOMEN JEWELERS

発行日	2018 年 11 月 21 日　初版第 1 刷発行	First Edition
発行人	渡辺 郁子	Publisher　　WORD LABO
発行元	WORD LABO	Distributor　Ink Incorporation
発売元	株式会社インク・インコーポレーション	1-20-13 Shimouma, Setagaya - ku,
	154-0002　東京都世田谷区下馬 1-20-13	Tokyo, Japan, 154-0002
	Tel 03-3411-3091　　Fax 03-5430-5673	Tel 03-3411-3091　　Fax 03-5430-5673
	E - mail　　ink-inc@gol.com	E - mail　　ink-inc@gol.com
	Website　ink-inc.co.jp	Website　ink-inc.co.jp

印刷・製本　シナノ印刷株式会社　　　　　　　Printed by SHINANO